FELICIDADE OU MORTE

## PAPIRUS ✦ DEBATES

A coleção Papirus Debates foi criada em 2003 com o objetivo de trazer a você, leitor, os temas que pautam as discussões de nosso tempo, tanto na esfera individual como na coletiva. Por meio de diálogos propostos, registrados e depois convertidos em texto por nossa equipe, os livros desta coleção apresentam o ponto de vista e as reflexões dos principais pensadores da atualidade no Brasil, em leitura agradável e provocadora.

CLÓVIS DE BARROS FILHO
LEANDRO KARNAL

FELICIDADE OU MORTE

PAPIRUS 7 MARES

| | |
|---:|:---|
| Capa | Fernando Cornacchia |
| *Transcrição* | Nestor Tsu |
| *Coordenação e edição* | Ana Carolina Freitas |
| *Diagramação* | DPG Editora |
| Revisão | Isabel Petronilha Costa |

---

Dados Internacionais de Catalogação na Publicação (CIP)
(Câmara Brasileira do Livro, SP, Brasil)

Barros Filho, Clóvis de
  Felicidade ou morte/Clóvis de Barros Filho, Leandro Karnal. – Campinas, SP: Papirus 7 Mares, 2020. – (Coleção Papirus Debates; 1)

ISBN 978-65-5592-006-2

1. Amor 2. Espiritualidade 3. Felicidade 4. Felicidade – Aspectos sociais 5. Felicidade – Filosofia I. Karnal, Leandro. II. Título. III. Série.

20-47691                                                                 CDD-170

Índice para catálogo sistemático:
1. Felicidade: Filosofia: Tertúlia                                      170

Maria Alice Ferreira – Bibliotecária – CRB-8/7964

---

1ª Edição – 2020

A grafia deste livro está atualizada segundo o Acordo Ortográfico da Língua Portuguesa adotado no Brasil a partir de 2009.

Proibida a reprodução total ou parcial da obra de acordo com a lei 9.610/98.
Editora afiliada à Associação Brasileira dos Direitos Reprográficos (ABDR).

DIREITOS RESERVADOS PARA A LÍNGUA PORTUGUESA:
© M.R. Cornacchia Editora Ltda. – Papirus 7 Mares
R. Barata Ribeiro, 79, sala 316 – CEP 13023-030 – Vila Itapura
Fone: (19) 3790-1300 – Campinas – São Paulo – Brasil
E-mail: editora@papirus.com.br – www.papirus.com.br

# SUMÁRIO

O vazio da felicidade ............................................................ 7

Ser feliz ou ser livre? ........................................................... 25

A infelicidade do outro ....................................................... 41

Felicidade e amor ............................................................... 61

A felicidade aqui e agora ................................................... 77

Glossário ............................................................................. 87

**N.B.** As palavras em **negrito** integram um **glossário** ao final do livro, com dados complementares sobre as pessoas citadas.

## O vazio da felicidade

**Clóvis de Barros Filho** – Gostaria de começar este bate-papo com a ideia de que a felicidade, a meu ver, é muito mais conhecida pela sua ausência do que pela sua presença. E, por essa razão, é muito comum na história do pensamento que se fale em busca da felicidade. Havendo busca, é porque ela ainda não está; permanecendo a busca, é porque ela continua não estando; consagrando-se a busca, é porque, talvez, ela não apareça nunca. Temos a impressão de que, na vida de carne e osso, a felicidade representa um grande desencontro e, portanto, ela é sempre cogitada como indicativa de um tipo de existência que não é, que nunca é, mas que gostaríamos que fosse. Nesse pensar, costuma-se propor que a felicidade apresenta uma característica de duração; portanto, ela se distinguiria de um instante de prazer simples. Desse modo, a felicidade normalmente é associada a um momento da vida que dura certo tempo, porém, ao longo desse período, há um apogeu de qualidade e, consequentemente, certa intensidade. É curioso porque, no termo "felicidade", coexistem dois elementos que poderiam ser entendidos até como aparentemente contraditórios ou, ao menos, ambíguos: de um lado, temos a perspectiva de uma intensidade, portanto um elemento qualitativo; de outro, temos a perspectiva de um elemento de duração, portanto quantitativo.

Essa concepção de que a felicidade seja sempre algo que falta acaba tornando a discussão circunscrita ao mundo dos discursos, dos símbolos e das ideias, muito mais do que uma discussão propriamente afetiva. Sendo assim, eu proporia que, ao longo de toda a história do pensamento, sempre tenha havido uma grande luta ou disputa pela identificação das condições de uma vida feliz. E essa disputa é tanto mais possível quanto menos essa felicidade se manifesta como realidade afetiva. O que quero dizer é que, dado que a felicidade é poucas vezes sentida, fica mais fácil fazer das condições para que ela aconteça um objeto de luta e uma questão ideológica. Portanto, seria muito interessante investigar, ao longo do tempo, sobre os atores, os agentes sociais que incidiram mais diretamente nessa luta e que participaram mais ativamente dela pela definição das condições de uma vida feliz. De fato, nos dias de hoje, como aconteceu em outras épocas, assistimos à intervenção de agentes sociais interessados em participar dessa luta e, digamos, aguerridos, nessa disputa pela definição do que é necessário acontecer na vida para que ela seja feliz. De certa forma, isso faz com que a vitória de uns sobre outros acabe definindo um traço de cultura que compartilhamos e aceitamos de maneira mais ou menos tranquila como uma evidência do que uma vida precisa ter para ser feliz. Tendo sempre consciência de que isso nada mais é do que a consequência de um embate que envolve interesses imensos e que, portanto, acaba se traduzindo num resultado sempre provisório de uma luta por um poder simbólico muito relevante: a luta pela definição do que quer dizer felicidade.

**Leandro Karnal** – Acho interessante e cheia de boas ideias a sua introdução ao tema, Clóvis. Primeiramente, ao definir felicidade pela falta, ou seja, que ela é uma reflexão feita quando não se a tem. Essa noção pode ser estendida a todos os sentimentos. **Aristóteles** escreve sobre a ética na ascensão do helenismo, período em que a ética passa a ser apenas filosófica, já que a prática abandona por completo a pólis na emersão dos impérios helenísticos. **Tomás de Aquino** escreve sua síntese teológica no século XIII, época de inflexão do poder da Igreja. E parece que nós escrevemos e pensamos sobre ética neste momento no Brasil, e também sobre felicidade, exatamente porque há uma falta ou uma percepção de falta generalizada. Obviamente, a felicidade e sua ausência foram definidas em cada época de uma forma, mas o mais curioso é que nem todas as épocas colocaram a felicidade como meta a ser atingida. Uma vida eficaz, razoavelmente equilibrada, sem grandes saltos positivos ou negativos, voltada à reflexão, por exemplo, era uma pretensão romântica, acima de tudo. O ato de sorrir, durante o chamado período do primeiro Romantismo, seria algo considerado de mau gosto. Ser *blasé* era elegante, algo que distinguia os nobres das pessoas simples. Quando **Frans Hals** pinta no Barroco holandês pessoas sorrindo e bebendo cerveja, conta de uma felicidade burguesa que a aristocracia vê com certa desconfiança – "coisa de burgueses". Diríamos hoje, talvez, leitura mais "popular" da felicidade. Para os aristocratas, a burguesia fazia "churrasco na laje". Em algum sentido, também você, Clóvis, toca na ideia de que a transposição da felicidade para o plano político, das paixões políticas ou ideológicas, é resposta a uma ausência da possibilidade dela no campo afetivo. Logo, também estamos num campo em que a ideia da felicidade pública, que era típica de alguns períodos, como a Grécia clássica ou o período da fundação dos Estados Unidos – os pais fundadores falam da felicidade política – existia em detrimento, em oposição à felicidade privada. Já nesta era, como ensinaram o filme *Declínio do império americano* e sua sequência, *As invasões bárbaras*, nós substituímos a felicidade pública, considerada hoje inexequível, pela autoajuda, que é a busca da realização pessoal. Essa busca por realização pessoal em detrimento do político, do conceito clássico de política, mostra que não temos mais esperança de que possamos ser felizes além do âmbito familiar. Isso, porém, mostra grande contradição, pois a felicidade pessoal – que você, Clóvis, chamou de afetiva – e a felicidade familiar tão louvada pela tradição religiosa são a fonte de todo o trabalho dos psicólogos, psicanalistas e terapeutas porque são a causa da infelicidade, dos traumas e problemas dos seres humanos. O campo familiar é o alvo de nove entre dez conversas de pacientes com o terapeuta. Ninguém diz que sente trauma em virtude de uma questão política. Ninguém reclama no psiquiatra do subdesenvolvimento do capitalismo brasileiro. Os traumas estão relacionados a mãe, pai, irmãos, infância, questões sexuais e assim por diante. Logo, é curioso que nos tenhamos deslocado de novo do campo da utopia política, ou das utopias políticas, para o campo pessoal, que continua sendo incapaz de responder a esse desejo de felicidade. É por isso que, prudentemente, em vez de falar o que é uma vida feliz, **Luc Ferry** pergunta o que é uma vida bem-sucedida. Essa é uma sutileza muito importante. Até porque o conceito de felicidade, de tão difundido, esvaziou-se como signo. Virou coisa de propaganda de margarina. Ele ficou tão diluído que não temos mais como delimitar o espaço, a circunstância. E, principalmente, fazendo uma crítica sartreana à ideia de felicidade, é o problema de que felicidade sempre pressupõe uma essência antes da existência, um ideal antes de uma prática. Ou, se preferir mais tecnicamente, sempre pressupõe algo que é projetado em vez de algo que é vivido. É essa a injustiça que se faz com a vida ao projetar o ideal antes da experiência: a família de que gostaríamos, o emprego e a renda que nos agradariam... E nesse futuro do pretérito está contida a elisão daquilo que somos, daquilo que queremos e daquilo que temos. É importante pensar que a felicidade quase sempre é definida exaustivamente na medida em que ela não pode ser vivida ou, freudianamente, como se eu transpusesse para o discurso aquilo que denega a prática infeliz que levo, não realizada ou pouco realizada.

**Clóvis** – A vantagem de conversar com você, Leandro, é que a erudição faz de singelas reflexões conceituais um panorama infinitamente mais complexo e completo.

Vamos, agora, supor que a vida boa tenha uma única característica. Imaginemos, então, um tipo de reflexão em que a vida boa dependa de uma única ocorrência, ou de uma única característica, ou de uma única competência. E que essa ocorrência, ou característica, ou competência seja a mesma para todos. Rapidamente, poderíamos classificar a vida em dois tipos: a vida que deu certo, porque *isso* – seja lá o que for – aconteceu, estava presente; e a vida que deu errado, porque *isso* não estava presente. Agora imaginemos uma segunda situação, em que as variáveis necessariamente presentes para que a vida seja boa consistam em um número, digamos, crescente. Imagine duas, três, quatro, cinco coisas necessárias para a vida boa. Ora, perceba que interessante: à medida que o número de variáveis cresce e a reflexão sobre a vida boa torna-se plural e complexa, a probabilidade da ocorrência de todos esses elementos diminui, se rarefaz, de tal maneira que poderíamos sugerir que, quanto mais complexa for a reflexão sobre a felicidade, mais improvável ela será. Portanto, talvez isso explique certa tentação em reduzir o número de variáveis determinantes de uma vida boa. E algumas, ao longo da história, chamam atenção, como, por exemplo, no pensamento grego antigo, para o qual a vida boa pressupõe certa harmonia, certo pertencimento, certa integração – quase um encaixe de quem vive numa realidade ordenada, maior do que si mesmo. Vamos imaginar que o universo seja como um liquidificador – porque o universo seria uma máquina ordenada, cada peça com sua função. Se retiramos uma parte do liquidificador, duas coisas acontecem: a primeira delas é que aquele pedaço, fora do todo, não tem vida, não tem valor, não tem sentido. Sem aquela peça, o liquidificador não funciona. Se voltamos aquele pedaço a seu lugar, também duas coisas acontecem: a primeira delas é que aquela peça que, fora do liquidificador, não tinha sentido nem valor ganha justamente sentido e valor. E o liquidificador, por sua vez, funciona. Podemos concluir que a vida, para chamar assim, daquele pedaço do liquidificador só faz sentido dentro dele. Ora, se o liquidificador for o universo, então é claro que a nossa vida só faz sentido, e portanto só pode ser boa, se estivermos verdadeiramente inseridos nessa máquina universal. E isso pressupõe, de nossa parte, cumprir certa função, certa tarefa. É como se tivéssemos nascido porque abriu uma vaga na máquina cósmica, que precisa ser preenchida por alguém. Nesse momento, a natureza nos brindaria com algumas aptidões que seriam as mais adequadas para assumirmos aquela vaga. Estaríamos, então, aptos a substituir a peça quebrada do liquidificador de ontem e fazer com que ele continue a funcionar. Só que, é claro, ao nascer, milhões de alternativas se apresentam e, portanto, podemos viver sem fazer parte do liquidificador. Podemos viver até sem perceber o liquidificador, sem sermos avisados da existência dele. Podemos viver sem nos dar conta de nossas aptidões naturais, nossas inclinações etc. Nesse caso, duas coisas aconteceriam: a nossa vida seria como a peça do liquidificador fora dele, e o liquidificador padeceria da nossa ausência. A tal da felicidade, para quem pensava assim, seria justamente esse encaixe da nossa vida dinâmica nas funções adequadas ao funcionamento do liquidificador. Perceba que interessante: ou vivemos integrados a uma lógica e submetemos nossa vida às necessidades de uma realidade maior do que nós mesmos – e, então, somos felizes (*eudaimonia*, como falavam os gregos) –, ou vivemos longe disso e nossa vida será horrível porque estará em desarmonia com a ordem cósmica. Ora, qual é a graça de pensar assim? A graça é que a questão da vida boa ficou poderosamente facilitada. Por mais que não seja fácil para você entender qual é a sua "praia", entender quais são suas virtudes, seus talentos e buscar a excelência dos mesmos, ainda assim, aí existe uma mensagem de conforto imensa, que é a seguinte: basta encaixar-se na ordem cósmica para que a vida seja, garantidamente, boa. É um elemento tranquilizador incrível. Porque imagine se eu, na sequência, lhe digo: "Acho que o universo não é cósmico, nesse sentido. Ele não é nem finito nem ordenado. Ele é infinito e é uma zona. Portanto, não há propriamente um lugar para você". Aristóteles falava de lugar natural. E mesmo antes dele, na mitologia, observamos claramente que Ítaca, cidade natal de Ulisses, era seu lugar natural, muito mais do que a ilha de Calipso ou a Guerra de Troia. Teríamos, portanto, certa tendência a ir atrás do lugar que nos corresponde, da mesma maneira, talvez, que uma planta precisa de um lugar adequado para desabrochar plenamente a sua natureza. Assim, quando alguém diz que esse lugar não existe porque o universo é infinito e não possui nem dentro nem fora, nem direita nem esquerda, nem norte nem sul, nem nada; que estamos à deriva e o universo não é referência para nós

**O que vejo, sim, é uma necessidade de relacionarmos uma vida boa a certas condições de existência que, supomos, sejam alcançáveis, mas, que fique claro, de uma maneira que essa satisfação seja sempre parcial, relativa e, portanto, impossível na sua completitude. Desse modo, a felicidade será sempre um ponto distante, algo que nos escapa – se não completamente, pelo menos de forma parcial.**

e, portanto, a vida boa não é por esse caminho, é óbvio que ficamos sem chão. Perdemos o rumo porque nos tiram uma referência tranquilizadora para a vida boa. Então, me chama atenção o quanto na história do pensamento iniciativas desse tipo foram, de certa forma, compartilhadas como cultura de sua época; e o quanto tivemos a necessidade de relacionar a nossa vida boa a certas referências que são palpáveis e, de certa maneira, alcançáveis. Se hoje compramos uma revista de variedades que traz um teste de felicidade com perguntas como: "Você vive no bairro que gostaria de morar? Você usa as roupas das grifes que gostaria de vestir? Você tem o veículo que gostaria de dirigir?", é interessante observar como, de certa forma, o que há é uma mera substituição de uma necessidade que é a nossa. Quer dizer, trocamos de referência. Se alguém disser que houve um empobrecimento, direi que essa dedução pertence a ele; eu não faço juízo de valor. O que vejo, sim, é uma necessidade de relacionarmos uma vida boa a certas condições de existência que, supomos, sejam alcançáveis, mas, que fique claro, de uma maneira que essa satisfação seja sempre parcial, relativa e, portanto, impossível na sua completitude. Desse modo, a felicidade será sempre um ponto distante, algo que nos escapa – se não completamente, pelo menos de forma parcial. E nesse sentido, nossa incorporação à ordem cósmica exigiria de nós excelência, que é sempre relativa, incompleta, tendencial. E também a ideia de atrelar a felicidade a coisas denuncia uma impossibilidade de satisfação, porque basta ir à rua para percebermos que não temos muito mais do que temos. E sempre será assim. A grande promessa da nossa sociedade é que sempre haverá aquilo que não temos e, portanto, desejamos.

**Karnal** – É interessante porque as sociedades animais, aquelas em que não há a ideia de abstração ou idealização, seriam sociedades perfeitamente integradas, exatamente, por não discutirem a felicidade. Por exemplo, o salmão nasce no rio gelado no estado americano do Oregon, migra para o oceano, vive lá alguns anos, depois volta ao mesmo rio onde nasceu, se reproduz, serve de alimento para os ursos e morre. Não há salmão depressivo, não há salmão que tome Prozac. Não há salmão existencialista, nem radical; não há salmão socialista, nem capitalista. Não existe nenhuma abstração na sociedade dos salmões, assim como não há na das formigas, nem na das abelhas, onde tudo é determinado geneticamente. Não há escolha e, não havendo escolha, não existe infelicidade. Associamos felicidade à possibilidade de muitas escolhas, e a realidade parece contrariar esse desejo: mais escolhas parecem ofuscar a felicidade.

Você tocou, Clóvis, em várias questões caras ao estoicismo, como a *eudaimonia* e a ataraxia, que são importantes para pensar que definimos as coisas com base em ter ou não ter, desejar ou não desejar; enfim, para responder a sociedades humanas complexas onde o desejar é permanente. Por exemplo, quando das invasões arianas, a Índia criou uma solução – que poderíamos chamar, no sentido marxista, de ideológica – para adequar uma sociedade de funções distintas, que são as castas. Se alguém nasce numa casta baixa, ou fora das castas, é intocável; se nasce *brahmani* – "se eu nasci guerreiro", como diz o *Bhagavad Gita*, a bíblia do hinduísmo –, ele tem uma função. Krishna deve dizer-lhe: "Você é um guerreiro, só pode ser guerreiro; nunca será outra coisa a não ser guerreiro". E se esse alguém for guerreiro, terá atingido, como você diz, Clóvis, uma ordem cósmica, uma plena função. Tudo isso pressupõe uma palavra bonita e religiosa na origem, que é vocação, *vocare*, chamar. A vocação, por sua vez, pressupõe uma ordem prévia, que pode vir de Deus ou da natureza, mas ela é apriorística. Ela antecede a escolha. E alguém será feliz – desenvolvendo a ideia também exposta por você, Clóvis – se desenvolver sua vocação. Toda a chamada corrente pós-estruturalista lutou para dizer que não havia nenhuma ordem prévia. Não havia natureza, nem vocação, Deus, ordem, universo kantiano, universo ordenado, universo newtoniano; tudo seria uma construção do pensamento. De alguma forma e simplificando, tanto **Foucault** como **Derrida** e outros trabalharam com uma ideia de um homem inteiramente cultural, livre para produzir sentidos e valores. Essa é uma ideia tão problemática que, aparentemente, esses filósofos não foram mais felizes do que aqueles que tinham proposto uma ordem cósmica. Aliás, pergunta que me fizeram quando comuniquei a algumas pessoas próximas que eu iria gravar um livro sobre felicidade: "Mas você é feliz?". Sempre dou a resposta de quando explico porque estudo as religiões: "Sou como um homem ginecologista; trabalho com o que não tenho". Estudando o que não tenho, possuo certo afastamento em relação ao assunto. Portanto, não sei dizer se sou feliz, mas a pergunta já contém uma parte da resposta: só considero apto a falar sobre um tema aquele que não o encarna por completo.

Contam os árabes, numa parábola muito bonita, que um xá da Pérsia, dotado de uma melancolia profunda, absolutamente depressiva, próximo à morte, pede a um médico a cura para seu problema. O médico sugere que ele vista como remédio a camisa de um homem feliz. Mas tem que ser um homem completamente feliz para curar a melancolia do xá. E o vizir passa a procurar esse homem, mas todos têm alguma deficiência: "Sou feliz, *mas* minha mulher não me ama"; "Sou feliz, *mas* não tenho tanto dinheiro quanto gostaria"; "Sou feliz, *mas* meus filhos são rebeldes". E esse "mas", essa adversativa, foi se multiplicando por todo o império. Até que os emissários do xá encontram nas montanhas um pastor. Perguntam-lhe se é feliz, ao que ele responde: "Sou completamente feliz. Não tenho nada que me falte, nada que eu deseje mais. Vivo a perfeita felicidade". Pedem, então, que lhes dê a camisa. No entanto, o pastor não tinha nenhuma camisa porque a condição de sua felicidade era não possuir nada. Essa é uma resposta comum a muitas religiões e filosofias. De alguma forma, tanto estoicos como cristãos e budistas ensinam que se deve desejar menos ou nada. Nos capítulos 5, 6 e 7 de Mateus, está o núcleo duro do pensamento cristão, com o Sermão da Montanha: "Olhai para os lírios do campo, como eles crescem; não trabalham nem fiam". Ou seja, já que não podemos ser felizes, a solução é desejar menos. Só que do ponto de vista filosófico e também histórico, desejar menos ou mais constitui desejos da mesma face de uma moeda porque continua colocando o desejo suprimido ou estimulado, o desejo atendido ou reprimido como a base do comportamento. Então, o próprio desejo continua sendo o foco do indivíduo, e a ideia de que, para ser feliz, posso morar num palácio; para ser feliz, posso ser um pastor sem camisa.

Se pensarmos do ponto de vista do materialismo histórico, ao estabelecer o consumo como guia de felicidade, é óbvio que isso serve ao elemento do universo produtivo. Afinal, quanto mais se produz, mais se tem. E aquele *smartphone 6+* precisa ser superado pelo *7+ Mega*, e este pelo *8 Extra Mega Blaster...* Todos eles têm a mesma utilidade, mas a fonte é diferente. E você precisa comprar uma fonte nova. Essa é uma estratégia que tem dado certo, e introduz outro elemento: o de que a felicidade só pode ser medida, seja por filósofos ou por outras pessoas, a partir de um elemento comparativo. Ou seja, só saberemos se somos felizes em comparação a quem não é. Essa foi a resposta que me deu uma aluna, após a leitura da *Carta a Meneceu*, há muitos anos. Perguntei-lhe se era feliz, ao que ela respondeu: "Sou". E eu, estranhando essa assertividade extraordinária, questionei: "Como você sabe?". "Porque já fui infeliz. E agora não sou." Talvez essa resposta simples seja uma das melhores que possamos dar. A grande questão é essa aspiração metafísica, talvez, essa aspiração dessa permanência conceitual desse estado talvez nirvânico – ainda que o nirvana não seja a felicidade propriamente dita – de que eu suponho que vou ter essa extensão ao longo de muito tempo. E idealizo, por exemplo no plano físico, o orgasmo como momento máximo de felicidade porque ele é a suspensão no tempo. Ele é a absoluta suspensão do tempo já que nenhum ser humano checou o relógio durante o orgasmo para saber se o tempo estava passando ou não. Portanto, o tempo é uma percepção da nossa finitude e da continuidade do desejo; o não tempo é o encerramento da finitude e do desejo. Como ensinam os budistas, até nos chamados "paraísos" os deuses, os semideuses, as almas famintas, os animais, os demônios, todos têm anseios. E por isso são infelizes. A grande felicidade é desconstruirmos o desejar do bem e do mal. Isso diferencia o budismo do cristianismo, no qual a grande felicidade é desejar o bem e a plenitude do bem, que seria Deus, o *primum mobile* aristotélico-tomista. A ideia de que eu deva procurá-la na identificação com o plano de Deus, procurá-la na utopia política, na redenção, é ressignificada quando, em função de vários fatores, como no caso em *Fausto*, de **Goethe**, se estabelece no trabalho duro e metódico a chance da felicidade. Naturalmente, Goethe era um alemão e, tendo Margarida dado ao doutor Fausto seu amor, todo o poder, toda a glória e todo o dinheiro, ele foi capaz de dizer a frase que selaria o pacto com Mefisto: "Para, és belo. Este momento é perfeito". Só pôde afirmar isso após trabalhar a terra por muito tempo. Certo dia, no fim da tarde, olhando a terra produtiva, ele disse: "Este momento é perfeito". Que a felicidade seja o trabalho só poderia ter surgido em determinado tipo de sociedade. E aí vem, tanto do genro de **Marx**, **Lafargue**, quanto de **Domenico de Masi**, a resposta contrária: é o ócio que produz a felicidade. É o não produzir demais, é a chance da abstração. É o direito à preguiça de Lafargue ou o ócio produtivo de De Masi. Parece que temos a tendência de estabelecer um modelo prévio ou uma meta a que devemos nos adaptar. Felicidade é definida como o ajuste a esse modelo. O que ajuda a explicar por que, nessa era de tanta liberdade, nós tenhamos tantos gurus explicando o que devemos comer, vestir, fazer, falar e ser. E a busca por esses gurus, novamente, é a procura por algo externo, apriorístico. Que seja uma função que determine aquilo que vou buscar com segurança. Provavelmente, nunca tivemos tantas condições de liberdade e, geralmente, em alguns casos, materiais para a felicidade. Nunca discutimos tanto por que as pessoas são infelizes, ou tão depressivas, ou por que tomam tantos antidepressivos, ou por que têm tanta dificuldade de, simplesmente, dormir.

## Ser feliz ou ser livre?

**Clóvis** – Boa parte da tradição filosófica sugere, para que a vida seja boa, certa reconciliação com o mundo, com o real. Ou seja, estar bem com o mundo – até mesmo amá-lo – como ele é. Entre tantos que sugeriram ideias semelhantes, podemos destacar o *amor fati* de **Nietzsche**, o que me faz pensar na seguinte imagem: alguém dando um mergulho em águas cristalinas numa praia do Nordeste brasileiro. E diante daquela maravilha oceânica que ele contempla, num determinado momento, tem a sensação de que, como você disse anteriormente, Leandro, gostaria de suspender a passagem do tempo. Pois o mundo ali parece completamente adequado e conveniente. A pessoa simplesmente contempla o mundo onde está inserida e que lhe faz bem, e se sente reconciliada com ele, com aquela realidade que se apresenta como amável naquele momento. Poderíamos, então, com facilidade, identificar esse instante da vida como um momento feliz. Não é bem isso que o filósofo sugere apenas, mas, sim, que talvez tenhamos que amar o mundo como ele é *sempre*. Não somente tolerá-lo; amá-lo mesmo. Amar o real como ele é. Porque, é claro, ninguém vai se contentar com um momento de felicidade mergulhando em praias do Nordeste; é preciso que a felicidade continue depois. E, então, para além das divagações filosóficas, o leitor concordará comigo que muitas coisas no mundo são dificilmente amáveis. Milhões de pessoas mortas, injustiças flagrantes no relacionamento das pessoas, o sofrimento de crianças... Para amar o mundo como ele é, começa a ficar mais complicado. Aquele sábio que permanece impassível diante da notícia de que sua casa pegou fogo e sua família morreu queimada acaba se tornando uma história simpática, quase uma poesia, mas muito distante da vida do leitor e da minha. Assim, fazendo apelo a um entendimento mais simplório e trivial sobre a vida, diria que a vida boa implica uma reconciliação com o mundo quando ele é bom. Mas implica também uma transformação do mundo quando ele é ruim e inadequado. Sei que vou na contramão do pensamento da maioria, pois nem revolucionários nem vitalistas me aplaudirão, mas o fato é que essa transformação do mundo, marca registrada da nossa presença nele, sempre foi viabilizada pelo desejo. Portanto, a ideia de que a vida boa é a vida necessariamente redutora ou anuladora de qualquer desejo não me convence. Afinal, se a civilização hoje é melhor do que qualquer outra, se ela garante certa dignidade às pessoas que dela participam, é porque, em outros momentos, nos empenhamos para que as coisas fossem diferentes. E se só tivesse havido amor pelo real, só tivesse havido reconciliação com o mundo, talvez ainda estivéssemos em tempos outros, certamente mais difíceis do que o que vivemos agora. E confesso que faço essa afirmação de maneira completamente desapegada de toda literatura que algum dia eu tenha tido paciência de ler. Digo isso observando as coisas como elas são, fazendo apelo a uma reflexão que qualquer um pode ter. O fato é que conservamos o que talvez seja um mundo bom para todos e mudamos aquilo que nos parece adequado mudar na exata medida em que permita uma vida melhor.

De tudo o que conversamos, me chama a atenção a relação da felicidade com a liberdade. De fato, se formos à rua perguntar: "Pessoas sem liberdade podem ser felizes?", intuitivamente, é possível que as pessoas se lembrem dos escravos, daqueles cuja vida era 100% determinada por vontade alheia, e a resposta imediata será: "Não, a felicidade não tem a ver com escravidão". Dirão que a felicidade tem mais relação com a liberdade, com a autonomia do que com a escravidão, com a heteronomia. No entanto, essa constatação que fazemos intuitivamente pode merecer de nós uma avaliação mais acurada. Porque, de fato, diferentemente do resto da natureza, onde não há salmões depressivos, como você muito bem explicou, Leandro, nem tudo precisa ser necessariamente do jeito que é. Um exemplo que adoro é o da pera, que não tem a possibilidade de apodrecer na pereira, mesmo que não queira se sujar no terreno ao cair. A pera cai quando tem que cair e pronto. Na natureza tudo parece regido pelo princípio da necessidade porque, necessariamente, as coisas são como são. E nós supomos, presumimos, acreditamos que a cada passo temos 360° de alternativas de percursos. Diferentemente da pera, podemos decidir apodrecer na pereira. É claro que isso se impõe a nós como mais do que uma cereja no bolo. Veja que simpático: além de tudo, somos livres. A vida precisa das nossas escolhas. A liberdade não é propriamente um direito que usamos como quem usa um chapéu panamá quando quer; a liberdade é uma sina. Somos condenados às nossas escolhas, condenados a ser livres. E, então, tudo começa a ficar menos simpático. Pois, querendo ou não, teremos que dar uma solução para a nossa existência. Assim como, querendo ou não, um magistrado tem que dar uma resposta dentro do Direito quando a justiça assim o exige. Na vida, não temos como pular a necessidade de dar um encaminhamento a ela a partir de escolhas; escolher é preciso. E o estudo da relação da liberdade com a felicidade vai ganhando contornos dramáticos.

Você falou do salmão, e eu me lembrei de **Miguel de Unamuno** no *Sentimento trágico da vida*, quando escreve que não tem certeza se um caranguejo não seria capaz de resolver uma equação de segundo grau mais rapidamente do que ele. A verdade é que acreditamos que liberdade, discernimento e consciência de si é coisa nossa, e paremos por aí para não enlouquecer de vez. Eu me lembro de uma juíza na Escola da Magistratura, minha aluna, que me confessou ao final de uma aula: "Quanto mais aulas tenho com você, mais difícil é prolatar sentenças". E isso me fez pensar que, se ela acompanhasse de forma radical todas as minhas aulas, ou se ficasse ao meu lado, teria que abandonar a magistratura. Até me entristeci por esse efeito perverso que minhas aulas produziriam sobre meus alunos no sentido da total ineficácia. Mas, na verdade, o que ela quis dizer é que o aumento de alguma lucidez torna as escolhas progressivamente complexas, menos óbvias e, portanto, mais difíceis de serem operacionalizadas. Há, portanto, certo sofrimento no momento da escolha. E a dificuldade em escolher que aumenta quanto maior o número de variáveis de que disponibilizamos para escolher se traduz num sentimento desagradável. O sentimento próprio daquele que percebe que a vida depende da sua escolha e liberdade e não sabe, não tem certeza, do melhor caminho, e fica com medo de se arrepender. E o que é mais incrível: feita a escolha, esse sentimento não desaparece. Porque, curiosamente, nunca sentimos as tristezas das vidas que preterimos. Sentimos só as tristezas da vida que escolhemos viver, o que nos dá a impressão de que, se tivéssemos escolhido diferentemente,

Logo, ser livre para definir um caminho entre tantos possíveis é uma história que vem acompanhada de sentimentos, digamos, meio distantes do que chamamos de felicidade. Volto, então, à pergunta: "O escravo é feliz?". Havíamos concordado que não. Mas, avaliando a questão da liberdade, nos damos conta de que quem tem direito à escolha também sofre. Sofre o escravo, que não é livre, e sofre o livre, que não é escravo.

Como disse o Leandro em didatismo exemplar, ao longo do século XX alguns sustentaram justamente essa particularidade da vida do homem, em contraponto à natureza, em que há uma essência, uma definição que é condicionante da vida, da existência. O gato porque é gato tem que viver como gato;

> Curiosamente, nunca sentimos as tristezas das vidas que preterimos. Sentimos só as tristezas da vida que escolhemos viver, o que nos dá a impressão de que, se tivéssemos escolhido diferentemente, aquelas tristezas não teriam sido vividas. Outras, certamente, mas não aquelas. Logo, ser livre para definir um caminho entre tantos possíveis é uma história que vem acompanhada de sentimentos, digamos, meio distantes do que chamamos de felicidade.

o pombo porque é pombo tem que viver como pombo; a samambaia porque é samambaia tem que viver como samambaia... A vida paga um pedágio à sua definição, à sua essência, e não podemos transgredi-la. Por isso, de fato, não haverá salmões depressivos nem gatos angustiados. O gato gateia, vítima que é da sua natureza. Mas isso, diriam alguns – chamados de existencialistas por esse motivo –, no caso do homem, inverte-se. Não haveria uma essência garantidora ou condicionante de uma existência. Ou seja, existiríamos sem uma definição prévia. Existiríamos sem natureza, sem essência. E, então, talvez pudéssemos depois descobrir quem somos. Mas só depois, na exata medida em que formos vivendo, em que formos escolhendo, decidindo, deliberando. Por isso, o gato talvez seja o ser e nós o nada. Nós, que não somos nada, vamos vivendo sem ser e, assim, existindo livremente. A liberdade é esse traço da vida quando não há essência que a condicione. E aí, é claro, sabemos o quanto é difícil fazer escolhas. Elas são um cobertor curto. Sempre. E só não enxerga o cobertor curto quem foi vítima de algum tipo de inculcação dogmática que o convenceu da existência de um único gabarito para a vida. Cobertor curto porque, se tivermos lucidez, perceberemos que toda decisão desatenderá ao mesmo tempo que atende. E quanto maior a lucidez, maior a certeza de que toda decisão implica caminhos que desatendem, que maculam, agridem, que podem ter valor negativo. *Toda* decisão. Se houvesse a boa e a má decisão por definição, certamente acertaríamos mais. Tudo seria mais fácil, bastaria realmente identificar o certo. Mas o que há é o complexo, e essa complexidade nos massacra. O leitor pode me perguntar: "Como faço para diminuir tanta angústia, dadas as infinitas possibilidades de vida e a necessidade de convertê-la e simplificá-la em uma só?". Pois poderíamos, tanto eu quanto você, estar em infinitos outros lugares, mas aqui estamos. Isso é dramaticamente redutor. E, é claro, quanto mais noção tivermos de como isso é redutor, mais angustiados ficaremos. Como faço, então, para diminuir essa angústia imobilizante diante de tantas alternativas e a necessidade de escolher entre elas? Diminuo alternativas. E, desse modo, justificamos tanto sucesso de todas as instituições que fazem isso para nós – "Está com dificuldade? Está se sentindo mal de ter que escolher? Deixe que eu escolho para você!". Elas nos dão um jeito de vestir, de falar, de nos comportar, um jeito de pensar preestabelecido, enfim. Tudo nos é dado pronto, não é preciso fazer escolha nenhuma. Perceba que, nesse momento, você, candidato a gato, chegou lá. Porque agora, tal como o gato, você é vítima de um padrão único de existência, abriu mão de sua liberdade e, sempre que alguém lhe disser, com entusiasmo, que não existe felicidade quando se é escravo, sorria. Porque, afinal, todos nós acabamos nos deixando escravizar aqui e acolá. Compramos vidas prontas. Compramos "dez lições para ser felizes", "cinquenta dicas para ter sucesso". Compramos soluções politicamente corretas, paradigmas de qualidade de vida. Sem falar nas soluções que nos chegam de uma transcendência qualquer, garantindo que lá, no infinito e absoluto, o jeito certo de viver sempre esteve definido.

**Karnal** – Interessante, Clóvis, que você fez referência anteriormente à ilha de Calipso, que é a ilha da perfeição. Odisseu (ou Ulisses, como é chamado na mitologia romana) não aguenta ficar muito tempo nesse lugar. Lá nunca faz frio nem calor, todos são jovens e saudáveis, a comida é pronta e perfeita. Odisseu fica durante certo tempo na ilha e depois a abandona, dizendo à bela ninfa Calipso que é impossível viver nessa perfeição. Porque esse encobrimento, esse Calipso – oposto à revelação, Apocalipse –, é muito pouco humano. Voltando ao seu exemplo da praia do Nordeste, da água cálida, da paisagem perfeita, ela é insuportável depois de algum tempo. É a metáfora da pamonha, que você já usou em sala de aula e de que gosto muito: quanto mais comemos, menor a satisfação da necessidade. A praia do Nordeste é perfeita não porque aquele instante possa ser permanente, mas porque ele é fugaz. Assim como uma flor de verdade é superior à flor de plástico, ainda que esta possa ser mais firme, mais duradoura e até, numa foto, se mostrar mais bonita que a flor dita verdadeira.

Você citou também, Clóvis, sem mencionar o nome, a metáfora de Jó, que perde a casa, os filhos e a saúde. Num dos livros mais antigos do *Velho Testamento*, especialmente nos primeiros capítulos, diante de cada nova tragédia – a perda de sete filhos homens e três filhas mulheres, além de todos os seus bens e ainda uma terrível doença cutânea – Jó repete: "Deus dá, Deus tira. Bendito seja o nome do Senhor". Esse é um livro sapiencial, que procura ensinar a resposta a uma questão terrível: por que sofrem os bons? Por que as pessoas boas passam por desgraças? Jó enfrenta a perda de toda a família, a perda dos bens e uma doença. Enfrenta a chatice de três amigos, o discurso da esposa e, finalmente, a paciência de Jó se esgota. Apesar de ser lendária a paciência da personagem, chega o momento em que Jó reclama, e Deus – numa época em que isso era mais comum e não era tratado com Gardenal – lhe aparece pessoalmente. O criador é duro com sua criatura e indaga: "Quem pescou o Leviatã, quem colocou o anzol no Leviatã? O que você sabe desse plano?". Resignado de fato, por fim, Jó ganha mais filhos e mais bens porque se submeteu. Ora, essa é uma lição dentro da sabedoria do *Velho Testamento* e, como você lembra, Clóvis, difícil de ser seguida. "Deus dá, Deus tira. Bendito seja o nome do Senhor" pode pressupor hoje pouco afeto aos filhos, porque a perda de dez filhos com tal capacidade de otimismo não é mais acompanhada com tanta certeza. Penso que as questões que nós desenvolvemos aqui, voltadas a uma referência indireta e permanente ao existencialismo, vão pressupor de fato que somos pessoas livres ou queremos ser livres, mas a grande escolha não é nossa. Talvez, nisso, sejamos salmões. Nenhum de nós pode impedir aquilo que é o destino universal e total, que é a morte. Logo, somos livres para o chapéu panamá que você citou anteriormente – que eu uso por uma razão não livre, que é ser careca; outro fato não livre é o sol forte sobre a minha cabeça, apesar de eu ter a liberdade para escolher usar o chapéu panamá, ou um boné, ou um protetor solar. Mas eu não posso, usando ou não o chapéu, abrir mão do fato de que necessariamente morrerei. De que **Sartre**, que muito tratou da liberdade à qual estava condenado, acabou morrendo. E que **Simone de Beauvoir** morreu também. E que **Merleau-Ponty** e **Camus**, autor de *O estrangeiro*, morreram. Sartre de velhice, Camus de acidente, mas todos morreram. Ou seja, nós não temos a liberdade mais radical, que é a liberdade da eternidade. E na nossa mitologia, quem é eterno, como a Sibila de Cumas ou os vampiros, é profundamente melancólico. Todo vampiro é depressivo. Pode ser vampiro *cool*, como em *Crepúsculo*, ou mais épico, como em *Nosferatu* – todos são profundamente entediados.

Sibila de Cumas, que pediu a seu padroeiro Apolo a vida eterna, mas se esqueceu de pedir a juventude, ao chegar perto de mil anos, colocada numa gaiola, encarquilhada, à beira da podridão total, só dizia: "Quero morrer". Porque morrer, voltando a Sartre, é o que torna a vida livre, apesar de não ser uma escolha nossa. Tudo resulta no mesmo, que é a morte. Quando vou a escolas, procuro consolar alguns pais que me perguntam: "Devo matricular meu filho numa escola construtivista ou mais conteudista?". Respondo: "Não se preocupe, tanto faz, vai dar errado do mesmo jeito. O que varia é o motivo pelo qual essa criança vai procurar o psicólogo". Portanto, a única liberdade que temos é mudar o motivo do trauma, mas este é universal.

Nós roçamos aqui numa frase quase de senso comum, que é do poeta espanhol **Antonio Machado**: "Caminhante, não há caminho, faz-se caminho ao andar". Essa ideia, que se tornou tão difundida em todos os campos, é a tentativa de eliminar essa ideia de novo, de essência, e de garantir a todas as pessoas a possibilidade de viverem felizes com aquilo que tão bem você definiu sobre as escolhas, Clóvis. E a dificuldade que nós temos. Toda escolha implica perda, e esta é maior do que a opção. Porque, ao optar por alguma coisa, deixamos de lado milhares de outras. Cada escolha é única e o que deixamos de lado é muito maior. Eu tenho muitas escolhas. Associar essas escolhas à felicidade é, provavelmente, um caminho difícil. Por exemplo, estive com um grupo de amigos numa pizzaria em São Paulo que oferecia no cardápio 250 opções de sabores, com permutações geométricas que eu jamais imaginei possíveis. O grupo debateu durante quase meia hora sobre aquela diversidade do menu para constatar que, no planeta Terra, só existem cinco tipos de *pizza* possíveis: calabresa, portuguesa, quatro queijos, marguerita e muçarela; todo o resto é uma invenção perversa que não deveria constar em nenhum lugar. Resultado: depois de muito debate, pedimos duas "redondas" meia *pizza* portuguesa e meia calabresa, e meia muçarela e meia marguerita. (Há os que gostam de *pizza* vegetariana, mas não entremos nas sutilezas das patologias.) Nesse caso, a liberdade aumentou a angústia do grupo. O fato de que hoje temos café de vários tipos – descafeinado, com chantili, com espuma de leite, com canela – não nos torna mais felizes do que minha avó, que trazia café num bule de ágata. Se alguém quisesse café, era

**Toda escolha implica perda, e esta é maior do que a opção. Porque, ao optar por alguma coisa, deixamos de lado milhares de outras. Cada escolha é única e o que deixamos de lado é muito maior. Eu tenho muitas escolhas. Associar essas escolhas à felicidade é, provavelmente, um caminho difícil.**

aquele. Se não, ela logo retirava o bule com sua delicadeza germânica.

De modo geral, essa reflexão é feita à medida que envelhecemos, para falar de uma infância mais feliz, com lembranças que remetem a um mundo de menos escolhas, logo, menos sofrimento. Mas, não, o mundo não era mais feliz por ter menos escolhas. E tenho certeza de que o mundo não é mais feliz por ter mais escolhas. Para citar novamente Unamuno, e também Nietzsche, quero resgatar a chamada dimensão trágica da existência que você trouxe para nossa conversa, Clóvis, isto é, essa caracterização de uma percepção do mundo como, talvez, não tão harmônico como se supunha e que associa liberdade à felicidade. Se tomarmos aquilo em que roçou também seu argumento, Clóvis, a dialética do senhor e do escravo de **Hegel**, é provável que essa associação seja a contradição de nossos desejos e liberdades com a consciência socrática da morte inevitável, portanto essa alternância me torna feliz. Voltando à praia do Nordeste, imaginei um banho de mar na Praia dos Carneiros, em Pernambuco. Lembro de ter visto, na minha infância, uma propaganda de chocolate em que uma mulher de biquíni branco saía do mar da Praia dos Carneiros. Conheci tardiamente essa linda praia. A água cálida, os coqueiros, a vida fluindo bem... Só que, em nenhum momento esqueço, ao visitar aquela praia, ou a belíssima

Praia do Sancho em Fernando de Noronha, o quanto tive que trabalhar e economizar para ali estar. Desse modo, consigo dar um sentido não apenas à Praia dos Carneiros, ou à Praia do Sancho, mas ao trabalho insano que tive, que se tornou mais feliz porque propiciou aquele momento. Logo, a felicidade na Praia dos Carneiros, no período que aguentei ser feliz – quase vinte minutos naquela água –, tornou feliz o fato de eu acordar todos os dias às quatro e meia da manhã e dormir tarde, trabalhando sem cessar. Ou seja, esta é a vida pela qual optei em detrimento de outras. Não tenho certeza de que ela se torne possivelmente feliz. Porém, tudo foi se articulando porque não havia caminho, só as minhas pegadas. Nada havia à frente. Só existe história, não há profecia. História é tudo. (Não digo isso apenas porque sou historiador. História é tudo porque é a única reflexão que posso fazer sobre o momento que passou. Não posso fazer uma reflexão do futuro. Ainda que o **Padre Antonio Vieira** tenha uma *História do futuro*, toda profecia é picareta. Ela pode se concretizar, mas é um "chute". Por exemplo, há 50% de chances de que uma criança em gestação seja menina ou menino. No entanto, é melhor confirmar o sexo pela ultrassonografia do que tomar como verdadeira a profecia ou a intuição das tias.) Mas o momento da felicidade não só existe como acende outros, pois a lembrança de dias felizes ilumina e aquece dias melancólicos ou de dor. **Eça de**

**Queirós** explica num belo conto, chamado "Perfeição", as razões pelas quais Ulisses abandona a ilha de Calipso, por não tolerar tudo aquilo. Pois não exatamente a felicidade, mas a alternância de momentos é que vai tornar a vida – que, em si não tem nenhum sentido fora dos discursos metafísicos – possível. Porque esses momentos vão se completando, entram em contradição e constituem nossa pequena metafísica – medíocre, limitada, biográfica, mas que é nossa. É a única que podemos ter. No fundo, volto a pensar: será que o salmão é mais livre do que eu? Começo a ter dúvidas cada vez maiores. A pera não pode apodrecer no pé, mas pode cair e virar semente. A pera pode ser envolvida numa garrafa e virar *poire*, a bebida preferida do nosso falecido **Ulysses Guimarães**. Ela pode virar doce; pode ser fotografada e imortalizada no *hall* de entrada de um prédio de São Paulo. Mas, independentemente de a pera não ter consciência, todo sentido de consciência e de ordem é dado por um sujeito externo a ela, que sou eu. E aí reside o drama de Mersault, personagem de *O estrangeiro*, de que "tanto faz". Essa é a frase que Mersault profere desde que a mãe morre até ele ser condenado à morte por atirar num árabe. Esse "tanto faz" é angustiante. Mas eu tendo a crer, hoje, que ele me liberta de uma fórmula. E, fazendo isso, ele me permite gerenciar, dentro de limites como a morte, coisas que sejam agradáveis.

## A infelicidade do outro

**Karnal** – Eu queria sugerir uma questão para a qual não tenho resposta.

Eu posso *desejar*, tenho potência desejante. Posso desejar melhorar. Eu desejo não envelhecer tão mal, então faço atividade física. Eu desejo não ter melanoma, por isso utilizo protetor solar. Mas a minha dúvida é se todas as pessoas têm essa potência desejante. Ou se elas se surpreendem com a vida como se fossem coadjuvantes – e não autoras – num roteiro para o qual foram convidadas. Se as pessoas que vão infelizes, por exemplo, para uma festa de Natal da qual não gostam, mas que não tomam nenhuma providência para que o próximo Natal seja bom ou agradável, percebem a ação deletéria do tempo – engordar, ficar cada vez mais careca, mais cansado e com menos visão – e acham que é assim mesmo. Que não podemos lutar um pouco, seja com atividade física, seja com consulta médica. Afinal, por que tantas pessoas se consideram não desejantes? Ou aceitam as coisas sem um enfrentamento? Seria essa uma forma sutil de felicidade, já que tanto o desejante quanto o não desejante resultarão, da mesma forma, na morte? Pois quem se cuida todos os dias com cremes será um cadáver hidratado. Estará bonito e tratado num caixão. Quem deixa a pele virar um pergaminho será um cadáver seco. O faraó lembrado pelo nome grego Quéops e pelo nome Khufu, em egípcio, mandou construir a mais imponente pirâmide do Egito, a qual consumiu, segundo **Heródoto**, vinte anos e cem mil homens. Tudo o que resta desse faraó, desse homem que tanto investiu na permanência, na eternidade de seu nome é uma imagem minúscula num museu egípcio e outros fragmentos. Não temos a múmia, nem o sarcófago. Não temos nada além de uma minúscula imagem de Quéops no Museu do Cairo.

Precisamos saber que a eternidade não será vivenciada por nós. E que bom que não envelhecemos para sempre como a Sibila de Cumas. Que bom que a morte, tal como uma flor natural, encerra uma possibilidade de liberdade. Considero a morte uma das coisas mais importantes para sermos felizes. Sem ela, nossa depressão seria insuportável. O problema é que nunca saberei se essa minha ideia é verdadeira porque, depois da morte, não tenho como avaliar minha hipótese. Mas volto à questão: podemos ser seres desejantes? Podemos ser pessoas que, desde o empreendedorismo contemporâneo ao liberalismo de **Adam Smith**, ao pessimismo de **David Ricardo**, entendam aquilo capaz de estabelecer uma vida que seja direcionada pela vontade ou em discurso entre a *virtù* e a *fortuna* maquiavélica, entre uma ordenada e uma abscissa, entre o que controlamos e o que não controlamos?

Alguém me disse certa vez que **Freud** dedicou os anos finais de sua vida a pensar por que as pessoas buscavam tão enfaticamente a *infelicidade* e, quando a encontravam, se surpreendiam como se fosse uma Palas Atena surgida da cabeça de Zeus. Ou seja, por que as pessoas não juntam a ação com a reação, o desejo com o resultado? Essa é uma pergunta que, no fundo, tem relação com o liberalismo. Por que, por exemplo, as pessoas fazem escolhas – financeiras, pessoais, sexuais, de saúde – erradas? Como se explica essa irracionalidade que acompanha o desejo em relação à sua consecução?

**Clóvis – Maquiavel** tem uma reflexão fascinante quando ele propõe que, originalmente, o homem é de natureza desejante, ou seja, desejará sempre. Mas que a sua racionalidade o ajuda a circunscrever objetos de desejo que lhe sejam adequados. O que isso significa? Imaginemos que eu condicione a minha felicidade a ser presidente dos Estados Unidos. Ou a alguma coisa ainda mais incrível, como me casar com a bela atriz Paolla Oliveira. As chances de eu me frustrar são grandes. Imaginemos que eu, ao contrário, defina como objeto de desejo aquilo que não exigirá de mim praticamente nada. E, portanto, algo que está ao alcance da mão...

**Karnal** – Como ser síndico de um prédio....

**Clóvis** – Não, isso já seria...

**Karnal** – ... um ato épico!

**Clóvis** – Seria um antidesejo. Brincadeiras à parte, a racionalidade do homem permitiria a ele a identificação de uma espécie de orbital de desejos que lhe sejam adequados, isto é, que lhe tragam o máximo de satisfação e o mínimo de frustração. Naturalmente, existe por detrás dessa ideia a denúncia de um saber prático. Um dado saber prático que é trabalhado ao longo da vida social, ao longo de um processo de socialização no qual vamos, de certa forma, sendo instruídos pela sociedade sobre aquilo que é desejável e aquilo que não é. Toda sociedade é, antes de tudo, um espaço de organização de desejos, de organização de energias vitais. Nada está solto. Portanto, toda sociedade é um espaço de definição de troféus legítimos, isto é, aquilo que podemos buscar e pelo que seremos aplaudidos. Caso, por exemplo, uma pessoa condicione a sua felicidade a algum tipo de prática sexual sem aquiescência da outra parte, é possível que a sociedade não o tolere. E a sociedade não tolera muitos objetos de desejo. Basta abrir códigos de Direito e encontraremos lá a parte do desejo a que a sociedade se obstará que busquemos. Repito, toda sociedade é um espaço de definição de troféus legítimos. Os diferentes campos sociais, na sua relativa autonomia, definem troféus legítimos. Por exemplo, eu e você, Leandro, pertencentes ao campo da universidade, perseguimos troféus que para nós valem muito, e evidentemente valem muito porque somos curtidos e ortopedizados pela mesma fôrma, que é a fôrma de um cotidiano vivido em instituições universitárias. Fôssemos jornalistas, os troféus seriam outros; publicitários, ainda outros. E se fôssemos juristas, também saberíamos o que perseguir e o que conquistar. Portanto, essa racionalidade e esse saber prático que é o nosso é forjado e abastecido dentro de uma vida social que é a nossa propriamente. E, assim, é claro, na medida em que frequentamos os nossos campos

**Sabemos bem que a sociedade é muito eficiente na hora de inculcar, de interiorizar os objetos de desejo correspondentes, por meio do aplauso, do ganho, do reconhecimento e também da punição quando o comportamento é desviante. Sem perceber, vamos tomando por óbvio e natural que algumas coisas tenham valor, que sejam obviamente relevantes e, portanto, devam ser perseguidas por nós.**

sociais, sabemos muito bem que o que é um troféu para nós pode não ser para quem não participa daquele jogo. E assim, sabemos bem que a sociedade é muito eficiente na hora de inculcar, de interiorizar os objetos de desejo correspondentes, por meio do aplauso, do ganho, do reconhecimento e também da punição quando o comportamento é desviante. Sem perceber, vamos tomando por óbvio e natural que algumas coisas tenham valor, que sejam obviamente relevantes e, portanto, devam ser perseguidas por nós. Com isso, nossa energia vital vai sendo devidamente canalizada sem muitas perturbações para a ordem social.

De certa maneira, isso explica a relativa incompreensão que temos ante as estratégias adotadas por aqueles que vivem vidas diferentes das nossas, talhadas e forjadas em espaços sociais distintos dos nossos. Eu me lembro que, quando prestei concurso para a Universidade de São Paulo, já trabalhava havia dez anos no mundo universitário privado, e meu filho, que era criança na época, me perguntou: "Por que você estuda tanto agora?". Respondi: "Vou prestar um concurso". Ele concluiu: "Se você está estudando tanto, se passar nesse concurso, vai trabalhar num lugar onde vai ganhar muito mais dinheiro". "Não, justamente. É um pouco o contrário, talvez." "Eu não entendo, então." E tive que explicar a ele que o mundo universitário no qual eu circulava é um universo de compensações simbólicas que iam além da remuneração salarial propriamente. E foi um trabalho difícil porque só nos convencemos completamente dos troféus em disputa quando participamos do jogo. O olhar a distância gera certa incompreensão de estratégias e de direcionamentos. Uma sociedade será tanto mais estruturada quanto mais autonomia houver entre os campos e, portanto, quanto maior for a dificuldade da percepção do valor dos troféus específicos a cada campo. Assim, a título de exemplo, até pouco tempo atrás, um indivíduo era professor, cientista, mas também era um monte de outras coisas. Hoje, para cursar mestrado ou doutorado, é preciso estudar no período da tarde, o que faz com que a pessoa passe a pertencer a um campo de maneira, vamos dizer, mais completamente engajada em período integral, mostrando muito bem que aquele é um espaço que guarda certa soberania perante outros espaços sociais.

Nesse sentido, tenho a impressão de que poderíamos desenvolver longamente uma sociologia dos afetos, mostrando que não é só o desejo que é canalizado por um aprendizado social que se interioriza, que nos esculpe. E que, justamente, nos faz ignorar o arbitrário de sua gênese, nos deixando acreditar tratar-se de uma obviedade mesmo, quase que de um sangue azul. Sem perceber que o azul do sangue nada mais é que uma forma particular com que a sociedade nos brinda na administração de nossas potências. Assim, claro, muito embora estejamos em sociedade sob a égide de uma construção que nos sobrepassa, continuamos com a sensação de liberdade de escolha. Nas palestras que faço em empresas, bato a mão no peito com entusiasmo e grito: "Não gostou? Troca! Você é o gestor da própria trajetória. Não patrocine para si mesmo uma vida triste. Até prova em contrário, esta vida é única e você tem as rédeas da própria trajetória nas mãos. Portanto, não admita que considerem *happy hour* as sextas-feiras após as 18 horas, condenando o restante da semana à triste instrumentalização de seu trabalho em busca do enriquecimento de pessoas que você talvez nem venha a encontrar". Mas por mais que eu grite, e às vezes seja aplaudido de pé, a verdade é que todos os ouvintes continuarão ali na próxima segunda-feira resignados, seguindo uma espécie de sina, sem perceberem que tudo pode ser diferente do que é. E a pergunta que você faz, Leandro, é justamente esta: de onde vem a aparente inércia ante situações claramente inadequadas de vida? Cabe, então, uma tentativa de explicar o porquê de tanto conformismo. Arrisco uma singela hipótese: essa liberdade radical que é a nossa, essa do caminhante que não tem caminho e vai fazendo o caminho ao andar, construindo a trilha trilhando, como dissemos, ela é doída de ser vivida. E, portanto, seria bacana se "quebrassem o nosso galho", "aliviassem a nossa barra", nos facilitassem a vida, nos dessem um descanso dessa árdua atividade de decidir o próprio caminho, enfim.

    Se nos basearmos no exemplo de **Rousseau** no *Discurso sobre a origem da desigualdade entre os homens*, teremos que o gato, primeiramente, é gato. E o gato gateia, não inventa moda. Rousseau diz que um gato, ao lado de um prato de cereais da melhor espécie, não se arrisca a comer e morre de fome. Não passa pela cabeça do gato matar a fome com os cereais. O gato não inova; ele é gato, portanto vítima de sua *gatitude*, assim como um pombo é vítima de sua *pombalidade*. O que observamos? Que o gato, gateando, não escolhe nada e, assim, não sofre por escolher. Poderíamos dizer que gato não se angustia. Tendo esse exemplo como referência, em nossa vida, como conseguir o mesmo efeito? Poderíamos pensar: "Só vou diminuir a minha angústia se eu tiver uma limitação progressiva das alternativas existenciais". Porque aí fica mais fácil. No entanto, essa limitação será, digamos, uma limitação artificial conseguida *a posteriori*, posto que somos fundamentalmente livres. Se quisermos diminuir as alternativas de escolha, isso terá que acontecer ao longo da vida. Sendo assim, essa redução das escolhas pode se dar por uma análise, digamos, da acessibilidade das alternativas, da disponibilidade dos recursos, mas ela pode ocorrer também a partir de algo particular que acomete todos nós, que é a construção, no decorrer da vida, de uma espécie de definição de si mesmo. Ou seja, nascemos sem essência, mas vamos nos dotando de uma definição de nós mesmos, de uma espécie de coletânea de atributos sobre nós que, de certa maneira, tende a se impor sobre as nossas escolhas. De tal modo que, aí, já que acreditamos ser alguma coisa, teremos que viver em sintonia com esse ser. Em outras palavras, já que não somos gato, tentamos imitá-lo, e vamos nos dotar de uma natureza postiça, de uma segunda pele que vai nos definir e, assim, circunscrever nossas alternativas de existência, limitá-las, eliminar o que escapa completamente ao nosso entendimento sobre nós mesmos. Poderíamos, assim, concluir que cada um de nós, quando fala de si mesmo, apresenta uma definição. Essa definição se materializa num discurso, que nos apresenta e nos orienta. Um discurso de identidade. E a definição de si é tranquilizadora. Por exemplo, quando me apresento como professor de Ética da Escola de Comunicações e Artes da USP e da Casa do Saber, autor de livros, morador da cidade de São Paulo, palestrante e, portanto, prestador de serviço na área de educação corporativa e blá-blá-blá, essa definição não me agride; ela me satisfaz e circunscreve as minhas alternativas de existência. Em outras palavras, com essa definição, a escolha que me resta a fazer limita-se a alternativas como comprar livros na internet ou na livraria. Essa é uma dúvida que tenho que resolver, mas fica excluída a possibilidade de abrir uma pousada em Búzios, por exemplo, ou de atravessar o oceano Atlântico a nado. Ficam excluídas milhões de possibilidades hostis, em desalinho com essa definição que apresento de mim mesmo. Agora, que fique claro: como todo discurso que é nosso, ele não tem a sua gênese numa alma que nos foi brindada por algum demiurgo qualquer. Não é um conjunto de ideias inatas que aprendemos em nós mesmos sobre nós mesmos. De jeito nenhum. Como todo discurso, ele tem sua gênese numa polifonia discursiva aprendida num mundo social e, portanto, até mesmo aquilo que pensamos sobre nós possui sua origem na sociedade. Portanto, uma criança vai aprendendo ao longo de sua trajetória o que ela estará autorizada a dizer sobre si mesma. Tanto é assim que uma criança começa a se definir repetindo os atributos que lhe são conferidos por aqueles com quem ela se relaciona. E a partir daí, claro, ela ganha alguma autonomia, arregimenta, reorganiza, justapõe, articula de maneira que construa o discurso mais legítimo possível sobre si mesma. Mas, é necessário pontuar, a sociedade não só nos abastece com a matéria-prima daquilo que podemos dizer sobre nós mesmos; ela também nos fiscaliza, nos vigia. A sociedade não nos deixa descarrilhar na hora de falar sobre nós mesmos. E se porventura eu disser que me acho, ou mais do que isso, que *sou* o melhor professor do mundo, a punição social será imediata. Talvez eu nem me atreva a pensar dessa forma, porque a galhofa será imediata. E se, por acaso, expuser isso na internet, então será um massacre social. Por quê? Porque a sociedade não só patrocina os elementos identitários como controla e vigia com rigor o uso que fazemos deles. De maneira que nossa identidade é uma negociação permanente com o mundo que nos circunda. Ora, tudo isso é muito limitador da liberdade que é a nossa. Vamos imaginar a figura de um CEO. Ele deve se comportar como tal e, portanto, terá todo um discurso adequado sobre si. Não só um discurso, mas um gestual, uma indumentária, um veículo, uma maneira de ser... Percebemos que, de certa forma, longe de lhe parecer uma desgraça, isso é tranquilizador. Afinal, já que ele é um CEO, um elemento de definição de si, deve viver de maneira alinhada a essa essência postiça com que acaba de se dotar em negociação com a sociedade que o circunda. E, assim, ele junta a fome com a vontade de comer.

Cada um de nós tem uma definição de si mesmo e acaba circunscrevendo a vida em função disso. Como todos temos esse mesmo problema, construímos entre nós uma espécie de pacto de cumplicidade. Alguém acredita que sou professor e eu acredito que ele seja aquilo que diz que é. Ou seja, cada um de nós, precisando do endosso do mundo social, acaba também endossando as definições dos demais. E cada um de nós, portanto, oferece em garantia a lisura de seus procedimentos e a fiabilidade das informações que oferece sobre si. Assim, vamos vivendo acreditando ser alguma coisa para precisarmos nos angustiar cada vez menos. Talvez isso explique o fato de que tantas pessoas, ao longo de sua trajetória social, acabem se tornando, digamos, espetacularmente resignadas. Porque essa resignação acaba fazendo parte de uma personagem que tem uma lógica coletiva complicada. A não resignação implicaria uma heresia de custo social gravíssimo, e afetivo ainda maior. Isso faz com que, mesmo que possam aplaudir a ideia da subversão de si, todos acabem voltando na segunda-feira para cumprir o papel que lhes é devido e que foi duramente negociado com o resto do mundo, para que possam continuar acreditando ser alguma coisa e, com isso, se angustiarem menos.

**Karnal** – Sua argumentação é ótima, Clóvis, porque, em parte, um dos grandes truísmos da história é que todos os comportamentos, representações e identidades são determinados historicamente. O tempo é um elemento tão poderoso que atua até sobre quem não tem consciência dele, como as rochas, por exemplo. Você construiu uma excelente reflexão sobre os papéis complementares dessas identidades: somos o que somos em negociação com a sociedade, que aceita, limita, pune ou premia em função dessa adequação. No fundo, continuamos a viver numa espécie de sociedade de castas, só que agora elas são um pouco mais dinâmicas e mutuamente orgânicas. Eu concordo inteiramente com isso, mas preciso fazer um adensamento histórico de que é verdade que há 300 anos as mães não amavam os filhos. E que o amor materno é uma invenção relativamente recente e ainda, eu diria, em debate. É verdade que, na sociedade do antigo regime francês, buscar a felicidade no casamento seria considerado até de mau gosto. Pois o casamento era, como em Roma ou na corte de Versalhes, um acordo para garantir herdeiros legítimos e sucessão de herança. Felicidade se obtinha com amantes, em outros anexos. A ideia tão exótica de que devemos ser felizes com quem nos casamos, de que devemos atingir realização plena, inclusive sexual, com a pessoa com quem vamos conviver diariamente, remete ao século XIX, com a emersão do Romantismo e da burguesia. Tudo isso é verdade. Tudo isso é absolutamente defensável historicamente, de que os gostos sexuais, pessoais, afetivos ou de sucesso sejam dados por uma série de fatores. Ou, como diz Marx: "Os homens fazem a sua própria história, mas não a fazem como querem, não a fazem sob circunstâncias de sua escolha e sim sob aquelas com que se defrontam diretamente, legadas e transmitidas pelo passado". Mas as pessoas se esquecem de acrescentar que, uma vez definida uma questão socialmente, historicamente; uma vez estabelecido o que é o bom, o correto; uma vez estabelecido o que é o desejável, o sucesso e o fracasso, essa representação histórica passa a ter existência real. Ela passa a causar frustração. Se eu usasse uma metáfora, poderia dizer que, de fato, não existe o bicho-papão que uma criança alega morar sob a cama. No entanto, a crença no bicho-papão provoca enurese, ansiedade, taquicardia, insônia e até desespero. Ou seja, a crença na representação é real. Podemos, assim, dizer que as mães de hoje realmente amam seus filhos. E, como lembra o já citado Luc Ferry sobre a família, ela se tornou a única causa pela qual quase todas as pessoas dariam a vida. (Eu acrescentaria também o celular, à medida que as pessoas digitam dirigindo. Ou seja, elas preferem correr o risco de morrer, ou ficar paraplégicas, a não responder a uma mensagem no WhatsApp. Acrescento à família o celular como os grandes valores que a sociedade ocidental construiu neste momento.) A família tornou-se, de fato, algo, já que ninguém se lançaria a uma guerra no Ocidente em nome das glórias do Estado. É difícil imaginar alguém numa guerra hipotética tornando-se *kamikaze*, como os japoneses no final da Segunda Guerra, no Brasil e gritando: "Viva **Dilma!**". Porém, família, o valor inventado como constituição romântico-burguesa, é uma construção. Família, no fundo, foi elemento de desconfiança do evangelho, já que Jesus não perde a chance de criticar os amores particulares, quando lhe avisam: "Tua mãe e teus irmãos estão ali fora e desejam falar-te", ao que responde mais ou menos assim: "Qualquer um pode ser minha mãe, qualquer um pode ser meu irmão. Quem fizer a vontade do meu Pai é minha mãe e meu irmão". Ou: "Se quer ser perfeito, saia da tua casa. Abandona teu pai e tua mãe e me segue". Todas essas ideias são construções. Mas, uma vez construídas, têm validade. Logo, quando falo e posso endossar inteiramente que um CEO tenha um comportamento que é desejável porque sua esposa corresponde ao seu cargo, porque sua vida parece interessante, porque suas roupas são de grife e porque suas ideias parecem inovadoras e a sociedade dá a ele um grande reforço, não é no campo da falsidade que estou construindo essa representação, mas porque as pessoas interiorizam isso. É claro que, a todo instante, a reflexão filosófica dos intelectuais pode concluir, como diziam alguns filósofos, que, de fato, tudo isso é aparência. Um filósofo que more num barril (**Diógenes**), que tenha por companhia cachorros, que vá pedir ao grande **Alexandre Magno** apenas que não bloqueie a luz do sol... Um filósofo que tenha essa tradição pode ser o antecessor clássico do Chaves que, no seriado de televisão, é a única personagem feliz, porque mora num barril e não tem nenhum desejo que não o imediato da satisfação do sanduíche de presunto. Ou seja, essa ideia da representação cria o real – o real como o entendo, como o percebo; o real que dá o sentido à minha existência. Portanto, de fato, existe a felicidade. Obviamente, a felicidade é dada, possui artificialidade, historicidade; tem elementos, enfim. Mas posso detectar que ela existe, que pode ou não estar onde todos a colocam. Ela se torna um elemento concreto porque percebemos que estamos infelizes numa relação, ou num emprego. É claro que, num ponto de vista foucaultiano, estabelecemos o hospício com um único objetivo: para que saibamos que não somos loucos porque estamos fora dele. E, voltando à questão de que você tão brilhantemente tratou, Clóvis, estabelecemos o indivíduo como não desejante porque ele é fundamental para definir nossa felicidade como seres desejantes. Logo, o conselho que você dá entusiasmado em suas palestras, de que cada um de nós é senhor da própria vida, não é seguido. Nós diríamos: "Felizmente", porque se todos fossem Clóvis de Barros Filho talvez você não tivesse emprego. Que bom, então, que o mundo é feito por essas lacunas. Que bom que alguém não pratica atividade física, porque aí eu posso ser mais feliz. Se todos fossem dedicados à racionalidade da condução de sua vida, eu não teria trabalho. Desse modo, nossa felicidade ganha um outro contorno difícil: ela depende da infelicidade, da fraqueza ou do não desenvolvimento dos outros. Mas a omissão do sujeito é a marca deste momento. Quando uma pessoa afirma: "Os brasileiros não sabem votar", indiretamente diz que, talvez, ela saiba votar, ou que não devesse ser brasileira. Ou que os brasileiros são atrasados estruturalmente e que ela seria alguém pontual, por definição. E esquece a profunda felicidade que causa ser diferente nesse meio ou tentar obter sucesso num lugar onde a média das pessoas não o busca. Como dizia um colega meu, uma montanha pode crescer por acréscimo de material a ela ou por decréscimo da planície ao redor. Ao sentir o nível crescente de desinteresse das pessoas pela cultura formal; ao notar que, década a década, os alunos parecem ler menos e conhecer menos a tradição clássica, eu poderia ter aquela felicidade que **Schopenhauer** dá à ovelha em *Parerga e Paralipomena*, quando o lobo come a que está ao lado. A felicidade está que o lobo escolha a outra ovelha e que a infelicidade ocorra sobre o outro. Isso talvez explique a pulsão de morte e a sedução que temos pela tragédia alheia, pelo acidente de trânsito na faixa vizinha ou que acometa o câncer

**Logo, eu poderia pensar e lançar também como tema de reflexão que a inveja é o grande patamar da felicidade. A comparação é a única categoria ontológica para que possamos estabelecer essa felicidade. Ou seja, a existência é o local que tenho que cercar com a ideia de que a infelicidade esteja lá fora.**

nos outros, porque isso significa que não foi a nós. Portanto, é fundamental que este mundo seja povoado de gente não desejante, sem pulsão de desejo; de gente acima do peso, com renda deficitária, com inteligência limitada, porque aí podemos nos comparar com a ovelha de Schopenhauer e dizer: "Ufa, estamos melhores do que aquele outro neste momento". Logo, eu poderia pensar e lançar também como tema de reflexão que a inveja é o grande patamar da felicidade. A comparação é a única categoria ontológica para que possamos estabelecer essa felicidade. Ou seja, a existência é o local que tenho que cercar com a ideia de que a infelicidade esteja lá fora. Mas, tomando como exemplo o romance clássico de *Alphaville*, a infelicidade está dentro do lugar. Por exemplo, hoje, temos que blindar a porta dos aviões para que o mal – o terrorismo – não entre, mas, de repente, um piloto depressivo alemão nos mostra que o mal é universal, para lembrar de uma tragédia recente. Ou seja, não podemos nos esquecer de que todas essas infelicidades alheias estão em nós também, e que seríamos os frustrados que acham que têm uma vontade superior à dos frustrantes.

## Felicidade e amor

**Clóvis** – Somos todos viventes dotados de certa quantidade de energia para viver. Essa energia, que cada pensador chamará de uma forma – desde clinâmen em **Lucrécio** até potência de agir, vontade, libido, tesão –, ela nos é essencial. Sem essa energia, a vida acaba. E ela oscila seja porque somos constituídos de matéria orgânica em trânsito, seja porque nosso corpo está no mundo. Pois o mundo nos afeta, e ele está sempre ali; vivemos em relação. Se assim vivemos, é porque afetamos o mundo ininterruptamente e vice-versa. Portanto, toda perspectiva de estabilidade é desmentida pelo fluxo da vida. Toda esperança de permanência é desmentida pelo trânsito inexorável das relações com o mundo e dos fluxos vitais. Se nossa potência de agir oscila, entenderíamos o nosso corpo como um exército em busca de alguma preservação ou ganho de potência. Assim, poderíamos nos entender essencialmente como vontade de potência, energia que busca mais energia. Naturalmente, isso nos leva a classificar o mundo em função da forma como nos afeta e a propor, assim, uma espécie de grade de valor para ele. O mundo que nos afeta positivamente é aquele que nos alavanca a potência de agir; o mundo que nos afeta negativamente é aquele que nos apequena a potência de agir e nos aproxima da morte. Como somos dotados de certo discernimento, capacidade de articulação de ideias, vivemos elucubrando sobre mundos potencializadores e mundos apequenadores. O que nos permite buscar em permanência encontros com os mundos que supomos sejam alavancadores de nossa potência e evitar em permanência mundos que sejam apequenadores de nossa potência. Nesse sentido, tudo isso lembra o fliperama. Nele, dirigimos um automóvel e a colisão com certos obstáculos nos faz *perder* pontos; já a passagem por certos lugares nos faz *ganhar* pontos. E assim dirigimos o automóvel em busca dos encontros que pontuam e tentando evitar os obstáculos que reduzem essa pontuação. Todo problema está que a nossa experiência acumulada ao longo da nossa trajetória já vivida não é completamente adequada para essa antecipação. Afinal, nosso corpo é sempre inédito. Nunca tivemos o corpo que temos neste instante. E o mundo que encontramos também é inédito. Portanto, o encontro de um corpo inédito com um mundo inédito traz sempre um resultado efetivamente inédito e, claro, impossível de ser completamente antecipado ou previsto. Isso desmoraliza toda tentativa de formatação da vida, de construção de uma grade inexorável de condições existenciais potencializadoras para qualquer um ou em qualquer momento. Mas continuamos lutando. Essa é a história. Pode não dar certo, mas continuamos lutando. Isto é, continuamos nos servindo daquilo que já nos aconteceu para tentar antecipar aquilo que vai nos acontecer. Naturalmente, somos vítimas dessa limitação de que o que já aconteceu não se repetirá completamente, tanto quanto o que vai acontecer nunca aconteceu antes completamente. É nesse ineditismo, que nunca é radical mas sempre real, que a vida ganha seu charme, suas incertezas e suas inseguranças. Nós poderíamos chamar de alegrador o mundo que proporciona alegria. E alegria é quando nossa potência de agir aumenta. Não há como não admitir que a alegria seja o filé *mignon* da vida. É o momento em que nossa energia vital se eleva e nos tornamos mais de nós em nós mesmos – uma espécie de adensamento do nosso ser nos limites do próprio corpo. Por exemplo, mais de Leandro em Leandro nas ocasiões de alegria leandrina, que são momentos, imagino, de sala de aula e exuberante performance didática. Mas é claro que o mundo é infinitamente competente para nos entristecer. Ou somos infinitamente desprovidos de competência para nos alegrar sempre. E os encontros com o mundo são muito provavelmente apequenadores de nossa potência. Por exemplo, a rabada que comi na terça-feira de algumas semanas atrás no centro da cidade me apequenou perigosamente a potência. Suei frio logo nas primeiras garfadas. Meu corpo se transformou num exército contra a rabada invasora, apequenadora e periclitantemente aproximadora da morte. E a rabada foi expulsa. Assim, a vida vai acontecendo na exata medida em que vamos triunfando sobre as rabadas apequenadoras de nossa potência.

É claro que podemos nos alegrar e nos entristecer tendo certa ideia daquilo que nos alegra e daquilo que nos entristece, e isso nos ajuda demais a viver. Mas esse diagnóstico que fazemos pode ser verdadeiro ou falso, isto é, podemos acreditar que a causa de nossa alegria é aquela e isso ser ou não verdade. Algo pode realmente ser a causa da nossa alegria, mas o fato é que jamais teremos essa certeza por completo. Poderíamos chamar de *amor* aquela alegria curiosa cuja causa sabemos qual é. E poderíamos chamar de ódio a tristeza cuja causa também supomos. Assim, eu odeio a rabada que me apequenou; por outro lado, eu amo o sorriso da minha filha. Penso que existem situações da vida em que a alegria do outro é causa de nossa alegria, assim como a tristeza do outro é causa de nossa tristeza. Percebemos que existem aí afetos em paralelo. São afetos de amor e compaixão, mas nada impede que haja afetos cruzados. Assim, a alegria do outro determina a nossa tristeza; a alegria do outro determina o nosso apequenamento de potência, o nosso minguamento; a alegria do outro nos brocha, é causa de nosso esvaziamento. Por sua vez, a tristeza do outro nos alegra, nos faz exultar. Esses são, portanto, afetos cruzados, afetos de ódio. Ora, eu não acredito que o ódio seja uma regra absoluta porque existe o amor.

Penso que uma reflexão poderosa sobre a felicidade possa partir de uma teoria dos afetos. Assumindo a oscilação dos mesmos nessa senoide em que surfamos desde o nascimento, talvez pudéssemos, com os pés no chão, entender que a felicidade não deve ser nem uma linha enérgica paralela ao chão de estabilidade absoluta, porque nesse caso teríamos morrido, nem tampouco um crescimento ininterrupto de potência, que nos levaria a explodir. Talvez a vida seja mesmo isso aí. Para que ocorra ganho de potência é preciso ter havido antes perda de potência. Mas o amor continua existindo. Ele continua existindo porque continuo me alegrando muito com a alegria daqueles que amo, do mesmo modo que continuo me entristecendo com a tristeza de quem amo. Portanto, minha felicidade não depende necessariamente da desgraça alheia. Talvez eu tenha uma concepção ingênua de homem porque admito que tudo aquilo que estou dizendo resulta muito da vida que vivi e da vida que vivo. Não tenho nenhuma pretensão de verdade; lanço aqui apenas um olhar, uma perspectiva na qual acredito. O amor é a vitória da alegria compartilhada sobre todas as outras. Na relação amorosa, por exemplo, há o triunfo – por parte dos amantes – de deliberações de vida e de conduta que sejam causa da alegria de ambos em detrimento daquelas alegradoras apenas de quem delibera. Numa relação considerada verdadeiramente amorosa, os que dela participam se sentem à vontade para apresentar suas fragilidades, sem que seus amantes disso se aproveitem para exercer suas forças. Mas há a graça e a desgraça do amor: quase de graça ele escoa, no tempo sem chegada, que vai e se esvai, corre e escorre. Fome que consome e ao mesmo tempo alimenta. Esse é o amor apego, aquele que se revela claramente como ânsia de propriedade. Uma ambição, uma busca atormentada. Nesse amor, o amante quer a posse exclusiva e incondicional do outro, objeto de seu desejo; o controle sobre seus atos, pensamentos e apetites. Quer ser amado integralmente, completamente, habitando e preenchendo a alma do amado. Para isso se empenha em enfraquecer todos os potenciais rivais, tudo que supostamente possa ameaçar sua soberania e sua alegria, convertendo-se no guardião supremo de seu tesouro e empobrecendo o amado com privações de toda e qualquer vida que ponha em risco seu tirânico monopólio. Se em sua experiência amorosa nada disso constar, então é porque não está afetado de amor apego. Talvez o que sinta seja apenas uma simples atração, ou nem isso.

Alguns passam a agir como "amantes do nada fora de si", adotando um encanto cínico por si mesmo que se faz de altruísta. Primeira pessoa que se esconde nas outras, sente uma espécie de atração escrachada por discretos devaneios próprios. Nobreza solidária de um despudor solitário. O tipo de amor que penetra sem seduzir, para que seja só coito e alcance de uma vez por todas a crua animalidade humana. E há também um amor que faz feitos, disfarça malfeitos. Saúda saudades, pensa pensamentos. É sempre afetado, por afetos e desafetos, perdidos e reencontrados. E, no fim, o que dele sobra? O tédio inquieto de uma rotina que nos consome, a angústia de um amor que não se consuma, o deserto incerto que separa dois corpos. Resta a solidão inexorável de cada existir.

E sobre agradar e provocar a alegria do ser amado: quanta expectativa existe! Mas qual é o valor e o preço dessa alegria? Quanto mais clara e firmemente os amantes se posicionarem, apresentando e agindo de acordo com seus valores e princípios, mais serão admirados e desejados, sobretudo por aqueles que garantem realmente amar. Mas se, todavia, não se aceitam tais princípios, bem como as escolhas e condutas que deles decorrem, o que será que podem tanto amar para sempre? A topografia corporal, cujas células acabam de se desintegrar? O valor amado dos amantes está nos valores que respeitam. Esse é o único objeto de amor que não esfarela pela vida.

Acho curioso que a maior audiência de domingo da televisão brasileira seja um quadro de pequenos vídeos caseiros que mostram, com frequência, crianças se machucando, para o deleite assumido de todos. Invariavelmente, todo domingo uma criança sofre, sente dor, padece de males que a cena nem consegue flagrar, dada a rapidez das imagens. E, imediatamente, tão logo o vídeo termina, são focalizadas bailarinas que, sorridentes, aplaudem o que acabaram de assistir. Aplaudem o sofrimento de uma criança. Desde que a televisão existe, a desgraça alheia empacotada em jornalismo de quinta categoria faz sucesso. Mas isso não exclui o amor. Afinal, não somos todos exultantes com a desgraça alheia exclusivamente. E vai aí uma reflexão que se estende ao sentido da própria vida e do trabalho. Se você, Leandro, e eu escolhemos a profissão de professor, tenho a impressão de que, em grande medida, não é por ódio – embora, às vezes possa parecer que seja – às pessoas que nos escutam. Não há nenhum sentido em ser professor senão pelo amor aos alunos. Afinal, tudo é por eles. Eu perguntaria: o que vale mais? Onde está o valor do meu trabalho? Nos milhares de alunos que, dentro da sala de aula, eu formei? Quem sabe nas milhões de pessoas que professor Leandro forma em seus vídeos? Ou no dinheiro que recebemos ao longo dessa trajetória? Onde está o maior valor? Onde está o verdadeiro valor senão no outro? E se trabalhamos pelo outro, não estaria aí inscrita uma forma genuína de amor no trabalho que justifica o empenho? Se há inércia, postura paquidérmica, desleixada – os franceses usam um termo intraduzível, mas sonoro, para descrever uma pessoa largada, abandonada a uma rotina e a uma mesmice medíocres: *avachir* –, quero acreditar que seja pela incapacidade em perceber os afetos de alegria que a vida profissional, as condutas no trabalho proporcionam. Ninguém pode ver sentido em vender milhões ou bilhões de celulares. Como atribuir sentido ao trabalho, tomando como referência um número cuja quantidade de zeros o funcionário ignora? Ninguém pode ver sentido em lucros estratosféricos. Ninguém pode ver sentido na vitória de uns sobre outros distantes, detentores do capital. Mas se a pessoa souber que o celular que ela vendeu permitiu a uma senhora sozinha pedir socorro e, com isso se salvar, faz sentido ter se empenhado para vender aquele produto. Ou, se souber que, graças a sua venda, uma mãe, no dia de Natal, pôde falar com o filho que está longe, do outro lado do mundo; ou, ainda, que uma esposa conseguiu enviar para o marido a foto do filho recém-nascido. Quando a pessoa entende a alegria que aquilo que ela vende proporciona a quem compra, posso acreditar que a indolência e a falta de sentido dão lugar a uma grande motivação. Porque o amor também existe.

Amantes! Somos assim mesmo, e assim mesmo somos – loucos pelo amor. Vivemos numa busca sem medida de tudo o que nos ignora e desdenha, numa entrega crescente e esperançosa à ingratidão mais fria do amanhã. E na caixa vazia de entrada de *e-mails*, renovamos nossa procura por muito, muito mais de tudo isso. E quando finalmente chegar a sanidade, a vida terá perdido de vez seu último tantinho de graça.

**Karnal** – Você fez, Clóvis, quase uma confissão de fé, porque esse princípio de que é no outro que reside a realização de alguém é basicamente cristão. É a oração que na França do século XIX passou a ser atribuída a são Francisco, de que é dando que se recebe. Ou seja, que o outro constitui o espaço da minha realização. É a renúncia, mesmo que historicamente construída, como insisti, da mãe, que sente satisfação em abrir mão de certos prazeres para que o filho tenha mais segurança ou mais alegria. É uma capacidade de entrega tão notável em tantos seres, que acordam no meio da noite de inverno, saem de sua cama quente para trocar a fralda de uma criança chorosa e depois voltam a dormir com a ideia de dever cumprido. E que vai além da praticidade, já que, se fôssemos práticos, não teríamos filhos – afinal, nem o mundo precisa deles, nem eles acabarão precisando de nós no futuro. É surpreendente como essa irracionalidade da entrega faz com que pessoas exemplares troquem uma vida possivelmente confortável por uma vida de maior entrega. Não sei se essa entrega é *naïf*, ingênua, mas ela é sempre defensável. Penso assim: há mais prazer em dar do que em receber e há mais prazer em ajudar do que em ser ajudado. Em parte, talvez, porque nosso Narciso fica satisfeito com essa ajuda. Em parte, porque tiramos de nós a centralidade da preocupação. Mas, também em parte, porque essa ideia de fazer o bem no sentido mais claro das tradições das religiões monoteístas, sem que a mão direita saiba o que a mão esquerda faz, torne possível a vida social.

Os pequenos gestos da pequena etiqueta – pequena ética chamada "etiqueta", ou seja, perceber e respeitar o espaço do outro, multiplicando as palavras "por favor", "com licença", "muito obrigado", tão esquecidas; e tentando não gritar, não impor a sua música, a sua presença a quem necessariamente não a queira – são aqueles pequenos momentos. E, bem provavelmente, por condicionadores históricos, religiosos, sociais e morais, nós encontramos na doação um sentido da nossa própria existência. E, acima de tudo, considero épico, tomando referências literárias e poéticas, quando, ao decidir, por exemplo, ter um filho ou decidir educar um aluno ou ajudar alguém, a pessoa também se fragiliza na medida em que coloca em terceiros parte da sua segurança. Um pai que é atingido pela tristeza dos filhos, que não possui defesa, *teflon* suficiente para que a tristeza dos filhos não o invada, ele está confessando uma saudável fraqueza de quem sai de sua totalidade, sua ontologia, para reconhecer em elementos externos parte da posse de sua estabilidade. Ou seja, a felicidade dele depende da felicidade dos filhos. Infelizes eles, nada que fizer lhe tornará possível a felicidade; felizes eles, mesmo as próprias dores cotidianas do pai se tornam mais suportáveis. Essa é uma escolha de Sofia curiosa, porque é a instauração de uma fragilidade pensada e socialmente aceita. Uma fragilidade em que um único telefonema pode nos deixar no Olimpo ou nos condenar ao fundo do Tártaro. Um único atraso pode nos angustiar de tal forma que nada mais é possível.

Esses atos de fragilização, às vezes chamados de paternidade ou maternidade, são curiosamente uma base histórica construída a partir da moral religiosa, mas são também uma tradição de nosso comportamento social de que, no momento em que descemos do "pedestal" do ser e do egoísmo, de fato encontramos quem somos. E que, além de nadar numa praia cálida do Nordeste, uma das coisas que pode tornar a felicidade perfeita é nadar nessa mesma praia acompanhado de quem nos ama, de modo que, naquele momento, todos compartilhem daquela felicidade. Se abrimos mão de muita coisa ao sair de nosso estado natural, o dos homens antes da organização em sociedade complexas, como pensam os filósofos, mesmo nele tínhamos esse consolo das pessoas próximas. Ou seja, que passemos também a viver a partir da percepção de que nossa solidão, absolutamente estrutural, possa em alguns momentos cruzar uma linha com a solidão de outras pessoas, tornando-se uma referência em conjunto e constituindo a possibilidade, ainda que tímida, de um "nós" em detrimento de um "eu", é essa a dialética da existência. Sou limitado a minha consciência e minha dor é apenas minha. Não sinto como os outros sentem e a agulha enterrada na carne alheia é inócua a minha biologia. Somos solitários, totalmente solitários, ainda que eventualmente solidários.

    O primeiro pecado de Lúcifer acontece justamente quando ele, em nome da vaidade, diz "eu" em detrimento do "nós" da Criação. Hoje, a primeira felicidade que julgamos plena é quando dizemos "nós" e não "eu". Penso que a esperança de imortalidade, que reside nas pessoas que amamos e naquilo que constitui uma história, pode ser considerada uma perspectiva ingênua. Mas é nessa ingenuidade que está, praticamente, a única possibilidade que encontramos, neste momento, de ter felicidade.

Quando lemos o texto de um autor cínico – no sentido não grego da palavra, mas naquele atribuído pelo senso comum – como, por exemplo, **Rochefoucauld**, que é alguém de uma frieza analítica quase assustadora, sentimos que ali existe verdade, mas que, dificilmente, ele foi uma pessoa profundamente feliz, e está dando a fórmula da sua infelicidade, do seu problema. Talvez seja o grande mito de Sísifo que Camus tanto trabalhou: temos que levar a pedra, mas ela vai voltar. A vida é um pouco absurda e inútil. Mas se a pedra for empurrada por pessoas com o mesmo objetivo e em harmonia, em alguns momentos muito fugidios, em que se cruzam a potência e a vontade, essa tarefa passa a ser uma atividade prazerosa. Aquela praia no Nordeste, então, se torna não apenas feliz pelo momento em que alguém submerge naquelas águas lustrais, mas pela lembrança que essa pessoa constitui em família, pela foto que registra o momento e que, ao ser observada ao longo dos próximos anos, trará uma memória permanente, biográfica, feliz. E

> **Penso que a esperança de imortalidade, que reside nas pessoas que amamos e naquilo que constitui uma história, pode ser considerada uma perspectiva ingênua. Mas é nessa ingenuidade que está, praticamente, a única possibilidade que encontramos, neste momento, de ter felicidade.**

fará parecer que essa felicidade projetada e idealizada num curto momento tornou-se uma felicidade real.

Felicidade apresenta muita construção e elaboração de memória. O primeiro beijo é romântico como lembrança; naquele momento é mais medo do que prazer. A lua de mel aumenta de importância à medida que o casamento entra em rotinas e desgastes. Quando prosperamos materialmente, em geral, pensamos com certa poesia nas dificuldades daquela época anterior, menos abastada. Assim, tudo vai sendo elaborado de forma que se criem na mente os processos de felicidade e infelicidade. Há questões reais, como fome ou perda de um filho, mas é o cérebro que valida como real ou aparente quase todo o resto.

## A felicidade aqui e agora

**Karnal** – Para lembrar um colega meu já falecido, **Rubem Alves** associa infelicidade como primeira instância para a felicidade. Claro, é preciso reconhecer, em primeiro lugar, que a percepção genial de Rubem Alves, em vários textos de intenso teor poético, tem influência de sua formação como pastor calvinista, a qual vê no obstáculo a grande questão para a redenção e para a graça. A Igreja católica entoa no Sábado de Aleluia um canto chamado "Exultet", no qual, no meio de um longuíssimo texto, o diácono diz: "Ó feliz culpa, que gerou tão doce salvador". Essa é uma tradição religiosa de que do calvário vem a ressurreição, do martírio vem a palma da vitória. Ou, "ostra feliz não faz pérola". Volto à resposta daquela minha aluna: "Sou feliz hoje porque já fui infeliz". Portanto, a dificuldade, aquilo a que os franceses chamam de *goût de l'effort*, o gosto do esforço – que nossas crianças brasileiras são estimuladas a não terem, já que, por exemplo, querem aprender a tocar violão, mas na primeira pestana largam o curso; começam as aulas de balé, porém, quando dói a ponta do pé, desistem; e assim, ao final da infância, têm um currículo variado de impossibilidades não desenvolvidas e um brilhante futuro pelas costas –, é uma questão muito importante. Essa é uma ideia boa para pensar, malgrado sua fonte provavelmente protestante de que a dor seja o início de uma resolução, de que a crise seja uma oportunidade e de que o fracasso seja uma ocasião de repensar, posto que é desses pequenos traumas e impossibilidades que produzimos respostas interessantes. A falta, a ferida narcísica representada por um defeito físico, por uma especificidade moral, por um fracasso financeiro são pontos fundamentais para construir um novo projeto. Por isso, eu concordaria, sim, que a infelicidade é uma ocasião para repensar estratégias, e que esse "castelo da felicidade" possa ser construído com pedras variadas, inclusive com grandes fracassos. É muito curioso como admiramos personagens como **Napoleão Bonaparte**, que terminou sua vida no meio do nada, derrotado, isolado, sem acesso ao filho, que foi para Viena; sem acesso ao universo que ajudou a construir, sem contatos de fato, no meio de uma ilha de Santa Helena, que até hoje é longe de tudo – imagine, então, no início do século XIX. E consideramos como terrível um rei como dom **João VI**, que morreu imperador de dois países, com o filho assegurado ao trono no Brasil e a neta em Portugal, nunca tendo sido capturado por ninguém, ao contrário de Napoleão, que foi duas vezes detido – uma na ilha de Elba e outra na ilha de Santa Helena. Em nossa memória, é Napoleão o vitorioso e dom

João VI, o fracassado. Como temos nesses fracassos certa admiração... Isso é mais notável ainda se considerarmos que o supremo babaca do século XXI, que é o neonazista, admira um ser problemático que morreu, se suicidou, condenou seu país à tragédia, matou milhões de pessoas e se tornou símbolo de um fracasso somado a outro. É surpreendente que possa ser seguido por um grupo tão grande de pessoas que ainda acham que essa idiotice chamada de nazismo tem vez. Aparentemente, fracassos dialogam conosco com uma gramática fora de lógica. Com essa ideia, admiramos a ousadia de algumas pessoas que se atreveram a fracassar e fazemos disso um elemento para a nossa felicidade. Temos vários *cases* assim no estudo sobre empresas de sucesso. Penso que seria interessante mudar esse código para os diversos *cases* de fracasso, que talvez sejam mais elucidativos que os de sucesso.

**Clóvis** – Vou apresentar outra perspectiva, pois acredito que, no fim, esse é um discurso redutor da vida de carne e osso em nome de uma idealidade qualquer. E acho até que, desde a mitologia, essa estrutura que vai do caos ao cosmo, que encontramos na teogonia e, de certa maneira, na *Odisseia*, pode se desenvolver.

Na teogonia, tudo começa com o caos, e então Zeus ganha a grande guerra contra os tios, os Titãs, põe ordem na casa e estabelece o cosmo. Temos aí a impressão de que o caos foi fundamental para que o cosmo surgisse. Essa é uma maneira de pensar, que encontramos na *Odisseia*. Ulisses não queria ir para Troia, mas passa dez anos na guerra; depois, leva mais dez anos – sendo que em sete deles fica preso na ilha de Calipso – para voltar a Ítaca, sua terra natal. No total, são vinte anos... Portanto, na ilha de Calipso ele estaria, de certa maneira, fora de seu lugar no cosmo; só em Ítaca ele se encontraria em harmonia com o universo. Ora, tudo isso parece ser negador do mundo da vida em nome de alguma coisa projetada. Prefiro acreditar que, na contramão dos ídolos, é conveniente estimar os valores da Terra e, portanto, é oportuno entender que já estamos vivendo a vida que vale a pena ser vivida. Não há nenhum contrato de experiência nem nenhuma escolaridade; isto aqui já é a versão definitiva. E, portanto, tem-se a impressão de que estamos o tempo todo criando em nosso imaginário duas fases: uma de penitência, dor e sofrimento, para que possa haver outra – seja aqui mesmo, numa sociedade ideal, seja fora daqui, numa vida eterna. Mas eu ainda chamo atenção para a necessidade de lutarmos pela alegria no mundo da vida como ele é. Esse mundo de forças, esse mundo de caos... Acredito que deveríamos nos resignar menos com a tristeza. Às vezes, esse tipo de discurso, de que o sofrimento é fundamental para que daí nasça alguma coisa boa, pode se deixar traduzir em rotinas mais pueris e menos nobres, como, por exemplo: "É preciso trabalhar de segunda a sexta para que cheguem o sábado e o domingo"; "É preciso trabalhar durante quarenta anos para que eu possa me aposentar e finalmente aproveitar a vida"; "É preciso suportar isto para que aquilo possa advir no futuro"; "É preciso poupar, porque quem poupa conquista o que a vida tem de melhor"; e assim por diante. Vamos nos acostumando a admitir que, no momento em que a vida é vivida, temos que suportar inconvenientes para que alguma coisa melhor advenha. Mas não tem advindo. Portanto, faço um convite à vida. Um convite à realidade, às coisas como elas são. E ainda preferirei que elas sejam alegradoras. Se, com isso, eu tiver que pagar a pena do castigo eterno, da criatividade comprometida, de uma aposentadoria curta, de uma existência pouco longeva ou de um final de semana sem graça, pouco importa. Eu ainda prefiro a alegria de uma semana inteira de trabalho do que *happy hour* de sexta-feira depois das 18 horas, apenas para fazer uma pequena observação.

**Karnal** – Na sociedade capitalista ocidental, esta passa a ser a meta para progredirmos: "Faça isto para ganhar aquilo". No fundo, esse é o discurso religioso da valorização do sacrifício. Antigamente esse sacrifício era em nome de Deus; hoje é em nome, por exemplo, da dieta. Quando as pessoas contam orgulhosas: "Eu não como carboidrato, não como glúten, e também não bebo", cada uma enumera o seu sacrifício. Era mais simpático aquele penitente do século XIV que se flagelava, do que um jantar em que as pessoas conversam sobre glúten. Era um sacrifício mais simpático o medieval do que o atual. Voltando a essa ideia, acho bonito esse desenvolvimento que você, Clóvis, faz de que a vida é sempre *hic et nunc*, aqui e agora. Ela é sempre o padrão de felicidade e infelicidade que construímos neste momento. Não existe "no meu tempo" porque só temos um tempo, citando indiretamente **santo Agostinho**. Só temos um tempo, que é o presente. Não somos mais no passado e ainda não somos no futuro; é sempre este presente. E ele tem que ser bom. Não pode ser um sofrimento enquanto estou trabalhando e uma alegria no descanso. Não pode ser um sofrimento na juventude para uma possível velhice melhor. Penso que essa é uma leitura equivocada que fazemos, pois viver o momento é uma maneira de não sobrecarregar expectativas para o futuro e não carregar mágoas em relação ao passado. Esse presentismo não quer dizer ignorar a experiência, mas significa pensar que

> **Não somos mais no passado e ainda não somos no futuro; é sempre este presente. E ele tem que ser bom. Não pode ser um sofrimento enquanto estou trabalhando e uma alegria no descanso.**

ela não é determinante para as coisas. Ou, como disse um professor português quando fazíamos o planejamento para uma exposição em Lisboa, ao responder a pessoas reclamando que o Brasil era pobre porque havia sido colonizado por Portugal: "É, mas duzentos anos depois, já dava para ter feito alguma coisa". Portanto, ou a pessoa toma uma atitude, ou vai passar o resto da vida justificando sua infelicidade pelo fato de que, por exemplo, não foi tão amada pela mãe, ou porque seu pai fez isto ou aquilo, ou porque teve na infância um professor cruel, não teve dinheiro... Quer dizer, *hic et nunc, here and now*, é um bom desafio para pensarmos na publicação que nasce neste instante. Toda pessoa que adquirir um livro cujo título indica felicidade tem interesse também em encontrar uma resposta sobre sua própria felicidade. Essa resposta vai ser um diálogo entretecido com os dois fios da mortalha que Penélope tecia e desmanchava na expectativa da volta de Ulisses. Mas, apesar de ter sofrido muito a ausência do marido por vinte anos, é preciso lembrar que Penélope foi rainha durante esses mesmos vinte anos. Não sei se a volta de Ulisses a encheu de alegria ou de certa tristeza, pois "agora ele vai voltar a ser rei, eu vou perder essa função". Lá estava ela com a ama Euricleia, com o filho Telêmaco que, em determinado momento, foi atrás do pai. Mas lá estava ela, rainha de uma ilha, mulher poderosa numa Grécia tão misógina. Falta, portanto, alguém escrever:

"Penélope aqui espera, mas aproveitou para ser feliz durante vinte anos". Diz Homero que ela nunca traiu o marido. Mas Homero era cego. Há uma chance de que Penélope tenha feito o mesmo que Ulisses, ou seja, aproveitado bastante a vida. Porque havia muitos pretendentes que queriam a mão de Penélope e outras partes de seu corpo. Ela devia estar bem porque ainda tecia, logo seu olho continuava firme. Considero, assim, que o aqui e agora é uma boa reflexão, para que paremos de aumentar a dor em relação ao futuro ou o amargo em relação ao passado.

E depois de todo este debate, caro leitor, estimada leitora, você se sentiu mais feliz? A pergunta é complexa. É frase comum que a ignorância é uma bênção, no sentido de que produz pouca consciência dos problemas. Mas há que se ressaltar sempre: a pessoa que não toma consciência de problemas também não está inteirada das soluções e da felicidade. Assim, ignorância pode evitar infelicidade, mas não garante a felicidade. No máximo, o ignorante é o ser "morno", aquele que os religiosos chamavam de tíbio, almas que, na mitologia de **Dante** na *Divina comédia*, não entram nem no céu nem no inferno. Tíbios estão fora do furor do demônio e longe do amor de Deus. São exilados dos dois reinos.

Espero que estas frases e estes pensamentos, enunciados pela voz poderosa do meu amigo Clóvis e por mim, tenham chegado à consciência de cada um, de forma que sirva para reflexão, questionamento, correção de rumo, estímulo e contestação. A concordância aproxima do afeto e a discordância, da filosofia. Se é verdade que Julieta não é uma filósofa do amor, apenas uma praticante, é também verdade que intelectuais nem sempre são felizes ou plenamente realizados. Porém, o barulho do que se fala deve ser mais importante do que o eco do que se faz. Nunca se engane: farisaísmo é parte da alma da academia dos intelectuais. No fim, doutores estão ao lado de analfabetos, tateando no escuro, gemendo e chorando neste vale de lágrimas. Seja feliz! Ou morra tentando... Que este texto possa ajudar a criar uma voz na sua busca.

# GLOSSÁRIO

**Alighieri, Dante** (1265-1321): Escritor italiano nascido em Florença. Algumas de suas obras mais importantes são *Vida nova* (*La vita nuova*) e *Divina comédia* (*Commedia*). Na primeira, Dante narra a história de seu amor platônico por Beatriz. A segunda é sua grande obra: trata-se de um poema alegórico filosófico e moral que resume a cultura cristã medieval.

**Alves, Rubem** (1933-2014): Teólogo, educador, psicanalista e escritor brasileiro, publicou numerosos livros sobre religião, educação e questões existenciais, além de obras voltadas para o público infantojuvenil. De escrita simples e frases curtas, seus livros foram traduzidos em várias línguas. É autor de *O amor que acende a lua*, *Quer que eu lhe conte uma história?* e *Desfiz 75 anos*, entre outros.

**Aristóteles** (384-322 a.C.): Filósofo grego, pensador dos mais diversos assuntos, é uma das principais influências do pensamento ocidental. Foi discípulo de Platão e professor de Alexandre, o Grande. Defendia a busca da realidade pela experiência e do conhecimento pela inteligência.

**Beauvoir, Simone de** (1908-1986): Intelectual francesa, ícone do feminismo e companheira de Sartre, foi renomeada filósofa e romancista. Polêmica e provocativa, a afirmação "Não se nasce mulher, torna-se mulher", feita em seu livro *O segundo sexo*, tornou-se lema dos movimentos de gênero empreendidos a partir dos anos 1960.

**Bonaparte, Napoleão** (1769-1821): General francês, governou o país durante quase dez anos e invadiu grande parte da Europa, no intuito de consolidar um império europeu regido pela França. Após um fracassado ataque à Rússia, foi obrigado a exilar-se. Ainda retornou à França com seu exército, iniciando um governo de Cem Dias, mas, derrotado pelos ingleses na Batalha de Waterloo, foi para o exílio novamente, onde morreu.

**Camus, Albert** (1913-1960): Escritor argelino, é um dos representantes mais importantes do existencialismo francês. Filósofo, foi professor e jornalista. Algumas de suas obras mais conhecidas são: *O mito de Sísifo*, *A queda*, *O estrangeiro* e *A peste*.

**De Masi, Domenico** (1938): Professor de Sociologia do Trabalho na Universidade La Sapienza, de Roma, escreveu diversas obras, entre as quais *A emoção e a regra*, *A sociedade pós-industrial*, *O ócio criativo* e *O futuro do trabalho*.

**Derrida, Jacques** (1930-2004): Filósofo francês conhecido pela teorização do desconstrutivismo, é um dos mais renomados pensadores da pós-modernidade. Deixou um grande legado intelectual para o Brasil e outros países que foram colonizados pelos povos europeus, pois desmascarou os rastros do imperialismo.

**Diógenes** (a. 412-323 a.C.): Filósofo da Grécia Antiga, teria vivido em Atenas como um mendigo, fazendo de um barril sua casa, como forma de demonstrar indiferença pelos valores e pelas regras da sociedade. Foi o principal representante da escola cínica.

**Ferry, Luc** (1951): Professor universitário francês, foi presidente do Conselho Nacional de Programas, encarregado de elaborar reformas para o ensino escolar na França. É autor de diversas obras, entre as quais *A nova ordem ecológica* (1992).

**Foucault, Michel** (1926-1984): Filósofo francês, dedicou-se a discutir o conceito de loucura, tendo em vista que sua referência varia conforme a época, o lugar e a cultura. Foi também um analista agudo do poder em todas as suas formas. *História da loucura na idade clássica*, *As palavras e as coisas*, *A arqueologia do saber* e *Vigiar e punir* são algumas de suas obras.

**Freud, Sigmund** (1856-1939): Médico neurologista e psiquiatra austríaco, ficou conhecido como o "pai da psicanálise" por seu pioneirismo nos estudos sobre a mente e por apresentar ao mundo o inconsciente humano. Defendia a tese de que há uma relação entre histeria e sexualidade e estudou o impacto dos traumas sofridos na infância para a vida mental adulta. Sua obra tornou-se objeto de questionamento, mas é, inegavelmente, ainda muito influente.

**Goethe, Johann Wolfgang von** (1749-1832): Poeta, dramaturgo e ensaísta, é um dos nomes mais importantes da literatura alemã. Seu trabalho reflete o desenvolvimento das observações colhidas ao longo da vida, marcada por sofrimento, tragédia, ironia e humor. *Fausto*, livro escrito a partir de 1774 e concluído em 1831, é sua obra-prima.

**Guimarães, Ulysses** (1916-1992): Advogado e político brasileiro, fez forte oposição à ditadura militar. Atuou como deputado federal, presidiu a Câmara dos Deputados e candidatou-se à presidência da República em 1989, quando Fernando Collor de Mello foi eleito. Sua morte em acidente aéreo teve grande comoção pública.

**Hals, Frans** (1580-1666): Pintor belga de estética barroca que retratou a sociedade com destacado naturalismo, é um dos mais renomados retratistas da história da arte. Interessado por imagens da vida cotidiana, criou a composição de retrato coletivo.

**Hegel, Georg Wilhelm Friedrich** (1770-1831): Filósofo alemão muito influente, defendeu uma concepção monista, segundo a qual mente e realidade exterior teriam a mesma natureza. Acreditava que a história é regida por leis necessárias e que o mundo constitui um único todo orgânico.

**Heródoto** (484-425 a.C.): Filósofo grego considerado o "pai da história", registrou em detalhes um grande número de fatos ocorridos em sua época, com o intuito de preservar os conhecimentos obtidos através das experiências coletivas.

**João VI, dom** (1767-1826): Rei absolutista português, da Dinastia de Bragança, fugiu com a família real para o Brasil para escapar das invasões napoleônicas, o que gerou grande instabilidade política no império português. Foi durante seu reinado que o Brasil se tornou um país independente, mesmo que ainda sob sua regência.

**Lafargue, Paul** (1842-1911): Jornalista francês, ficou conhecido pelo ativismo político de orientação marxista. Genro de Karl Marx, empenhou-se em divulgar *O capital* na imprensa, colocando conceitos teórico-filosóficos numa linguagem mais acessível. Dentre suas obras, destaca-se *O direito à preguiça*, panfleto político que faz críticas satíricas à exploração da classe trabalhadora.

**Lucrécio** (a. 99-55 a.C.): Poeta e filósofo latino, viveu num período de intensa crise religiosa e de grande desenvolvimento econômico do Império Romano. Suas obras criticam a futilidade de uma vida faustosa e artificial, destacando as alegrias da simplicidade e das belezas naturais.

**Machado, Antonio** (1875-1939): Poeta modernista espanhol, nasceu em Sevilha e muito jovem mudou-se com a família para Madri. *Soledades*, seu primeiro livro de poemas (1903), já se alinhava claramente ao Modernismo, mas demonstrava uma tendência intimista que o libertaria dos aspectos mais externos desse movimento na revisão de 1907 (*Soledades, galerías y otros poemas*).

**Magno, Alexandre** (356-323 a.C.): Mais conhecido como Alexandre, o Grande, foi o conquistador do Império Macedônico. Aluno de Aristóteles, utilizou seus estudos filosóficos e matemáticos para fortalecimento militar da Macedônia, de modo a alargar seu território para quase todo o mundo conhecido naquela época.

**Maquiavel, Nicolau** (1469-1527): Autor de *O príncipe*, estabelece uma separação entre política e ética, defendendo que os fins justificam os meios. Emprega com frequência, em suas obras, os conceitos de *virtù* e *fortuna*.

**Marx, Karl** (1818-1883): Cientista social, filósofo e revolucionário alemão, participou ativamente de movimentos socialistas. Seus estudos resultaram na obra *O capital* (1867), que exerceu e ainda exerce grande influência sobre o pensamento político e social no mundo todo.

**Merleau-Ponty, Maurice** (1908-1961): Filósofo francês, é um dos formuladores da fenomenologia. Com sua teoria da Gestalt, interpreta a composição estrutural dos sujeitos como união dialética e indecomponível da alma e do corpo.

**Nietzsche, Friedrich** (1844-1900): Filósofo alemão, elaborou críticas devastadoras sobre as concepções religiosas e éticas da vida, propondo uma reavaliação dos valores humanos. Algumas de suas obras mais conhecidas são *A gaia ciência* (1882), *Assim falou Zaratustra* (1883), *Genealogia da moral* (1887) e *Ecce homo* (1888).

**Padre Antonio Vieira** (1608-1697): Grande orador barroco português, veio ainda criança para o Brasil e aqui ingressou na Companhia de Jesus. Foi missionário no Maranhão, onde exerceu seu trabalho de catequese e de combate à escravização dos índios. Teve destacada participação política no reinado de dom João IV, atuando como diplomata em vários países. Escreveu numerosos sermões e ensaios proféticos em que se destaca a crença na ampliação do império português sobre o mundo.

**Queirós, Eça de** (1845-1900): Escritor realista, é um dos principais nomes da literatura portuguesa. Entre seus romances se destacam *O crime do padre Amaro, O primo Basílio* e *Os maias*. Jornalista e diplomata com vivência internacional, criticou a realidade provinciana portuguesa da época e teve grande influência política em sua geração.

**Ricardo, David** (1772-1823): Economista e político britânico, destacado teórico da economia clássica, influenciou a aplicação do livre-comércio na Inglaterra industrial do século XIX.

**Rochefoucauld, François de la** (1613-1680): Escritor francês, foi um dos intelectuais da corrente moralista, que despontou no Iluminismo. Aristocrata opositor do cardeal Richelieu, fez duras críticas à sociedade de seu tempo.

**Rousseau, Jean-Jacques** (1712-1778): Filósofo e enciclopedista suíço, é um dos grandes nomes do Iluminismo francês. Sua obra abrange uma vasta dimensão de pensamento e de complexidade sobre a natureza humana e as estruturas sociais.

**Rousseff, Dilma** (1947): Filiada ao Partido dos Trabalhadores (PT), foi a primeira mulher da história do Brasil a ser eleita para a Presidência da República. Ocupou o cargo entre 2011 e 2014, dando sequência a uma política de governo iniciada pelo ex-presidente Lula em 2003. Foi reeleita, mas teve o segundo mandato interrompido por processo de *impeachment* em 2016.

**Santo Agostinho** (354-430): Nascido Agostinho de Hipona, foi um bispo católico, teólogo e filósofo latino. Considerado santo e doutor da Igreja, escreveu mais de 400 sermões, 270 cartas e 150 livros. É famoso por sua conversão ao cristianismo, relatada em seu livro *Confissões*.

**Sartre, Jean-Paul** (1905-1980): Filósofo e escritor francês, foi um dos principais representantes do existencialismo. Intelectual marxista engajado politicamente, Sartre conquistou o prêmio Nobel, em 1964, mas o recusou. O livro *Crítica da razão dialética* sintetiza a filosofia política do autor.

**Schopenhauer, Arthur** (1788-1860): Filósofo alemão que causou grande polêmica em sua época, sobretudo por seu extremo pessimismo. Como pensador metafísico, contestou a filosofia hegeliana e incorporou o pensamento oriental. *Parerga e Paralipomena* e *O mundo como vontade e representação* são seus livros mais conhecidos.

**Smith, Adam** (1723-1790): Filósofo e economista escocês, foi um dos teóricos do Iluminismo e do liberalismo. Formulou o conceito de "mão invisível", que demonstra a importância da proteção dos interesses individuais para garantia do interesse público.

**Tomás de Aquino** (1225-1274): Frade italiano da ordem dominicana, foi um dos mais importantes pensadores da era medieval e influenciou a teologia e a filosofia modernas. Em suas sínteses teológicas, discute a teologia católica com base na filosofia clássica greco-latina, de modo a unir fé e razão.

**Unamuno, Miguel de** (1864-1936): Escritor espanhol, publicou ensaios, poemas, romances, literatura de viagem e teatro. Sua produção literária reflete a busca ansiosa por encontrar um sentido para a existência humana e, dessa necessidade, infere a existência divina.

*Especificações técnicas*

Fonte: Adobe Garamond Pro 12,5 p
Entrelinha: 19 p
Papel (miolo): Lux Cream 80 g/m$^2$
Papel (capa): Cartão 250 g/m$^2$
Impressão e acabamento: Paym